LERNPUNKT DEUTSCH 2

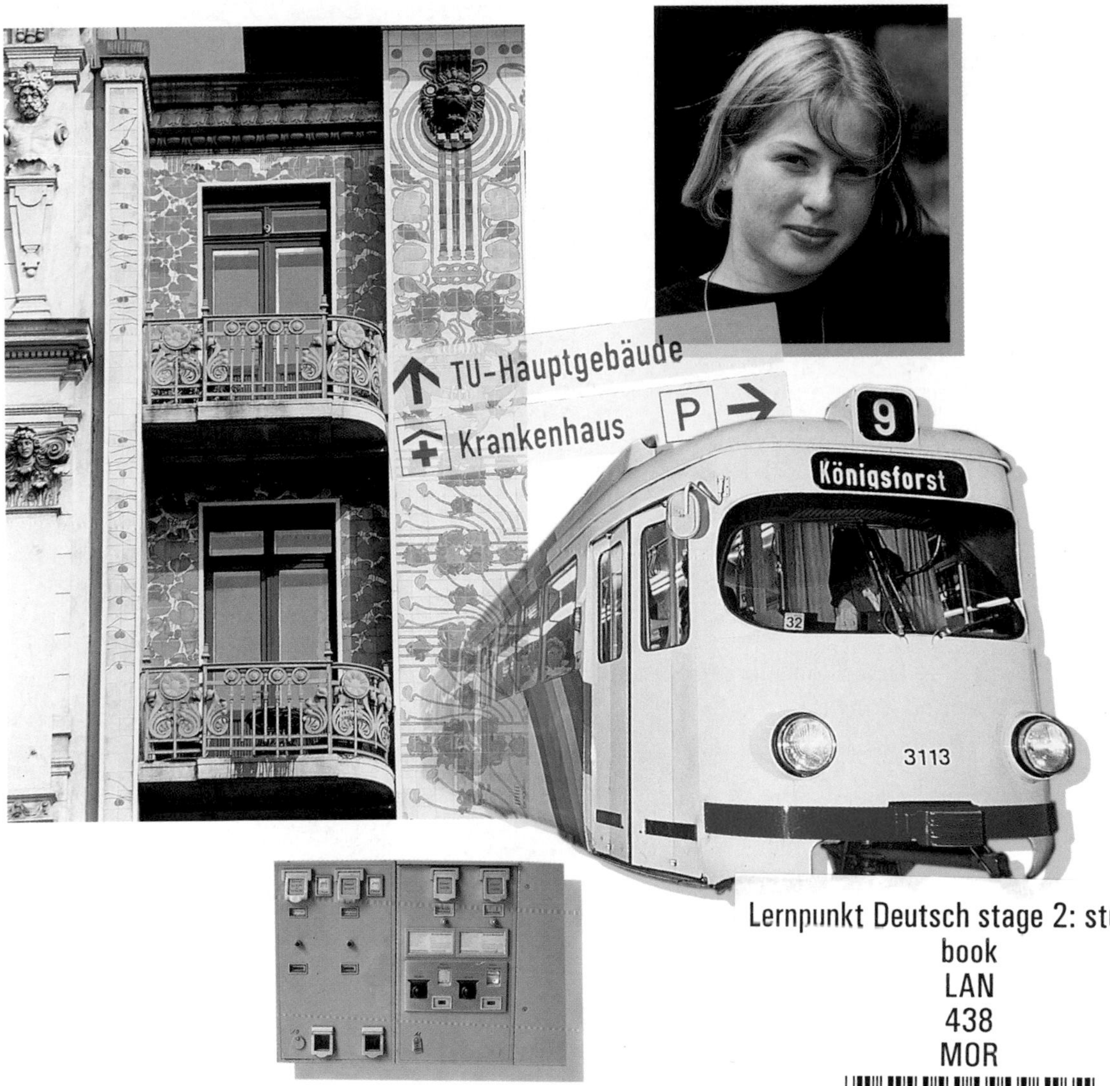

TU–Hauptgebäude

Krankenhaus

P →

9

Königsforst

3113

PETER MORRIS
ALAN WESSON

Nelson

Thomas Nelson and Sons Ltd
Nelson House Mayfield Road
Walton-on-Thames Surrey
KT12 5PL
UK

Nelson Canada
1120 Birchmount Road
Scarborough Ontario
M1K 5G4
Canada

Thomas Nelson Australia
102 Dodds Street
South Melbourne
Victoria 3205
Australia

Cover Photography
Wienzeile Häuser Detail Otto Wagner Bauten,
Wien, Österreich Werbung
Teenage boy: Brighteye Productions

Photography
Brian and Cherry Alexander 23
Allsport 18r, 57m
Brighteye Productions 51m, 70l, 74m, 84r, 109m,b,
110l, 128m, 131t,b
Images Colour Library 57l, 68, 135m
Image Select Int. 36, 53, 74, 83, 127b
London Features Int. 88
Peter Morris 40
REX Features 100b, 126t, 127, 134t
Frank Schultze 104t, m, b
Tony Stone18l, 20, 22, 54, 57r, 100t, 107, 114b
Alan Wesson 37b, 53r
Zeffa Picture Library 10, 76, 89

All other photos by David Simson or supplied by
Thomas Nelson and Sons Ltd

Commissioning – Clive Bell
Development – Clive Bell and Rachel Giles
Marketing – Rosemary Thornhill and Michael
Vawdrey
Editorial – Jane Rumble and Rachel Giles
Concept Design – Eleanor Fisher
Production – Mark Ealden
Picture Research – Image Select International

© Peter Morris and Alan Wesson 1997
First published by Thomas Nelson and Sons Ltd
1997

I(T)P® Thomas Nelson is an International Thomson
Publishing Company.

I(T)P® is used under licence.

ISBN 0-17-440044-6
NPN 9 8 7 6 5 4 3 2 1

Acknowledgements
Jenny Anderson
Miroslav Imbrisevic
Jacinta McKeon
Jayne Watson

Karl-Heinz Raach 22, 23
JUMA 56, 57, 104, 109, 134t, b, 135m
TIP 101b
AOK Jugendmagazin 74b
Mädchen 108
Snow City Band 1, © 1994 Dirk Tonn and Carlsen
Verlag GmbH, Hamburg, 62b

Illustration
Gary Andrews
Dawn Brend
Peter Campbell
Richard Duszczak
David Horwood
Maggie Ling
Jeremy Long
Roddy Murray

Every effort has been made to trace the copyright
holders of extracts printed in this book. We
apologise for any inadvertent omission, which can
be rectified in a subsequent reprint.

Printed in Spain

Willkommen!

Welcome to Stage 2 of **Lernpunkt Deutsch**. In Stage 2, you will learn to talk about your own opinions, interests, experiences, hopes and plans. You will also learn how to cope in a variety of situations, including an exchange visit to a German-speaking country.

You will take part in activities which practise the four skills of listening, speaking, reading and writing.

Lernpunkt Deutsch also helps you to learn German grammar. There are short grammar reminders in each chapter **(Lerntips)**, and separate activities in which you can work out grammar rules yourself and practise them. In addition, there is a complete grammar summary (**Grammatik**) at the back of the book, plus a list of useful, irregular verbs.

There are activities in every chapter, to help you to note down and learn key words. This will help you to build up your vocabulary in German.

Reading is very important when you are learning a language, both as a way of finding out more about German-speaking countries and increasing your vocabulary. Each chapter of **Lernpunkt Deutsch** contains at least two pages (four pages in some chapters) of reading material **(Lesepausen)**.

At the back of the book, you will find a German-English, English-German word-list (**Wortschatz**) and a glossary to help you understand the German instructions in this book.

At the end of each chapter, there is a page of creative writing and listening activities for you to work on on your own **(Du hast die Wahl)**, followed by a summary of the key language from the chapter **(Zusammenfassung)**.

We hope you enjoy using **Lernpunkt Deutsch 2.**

Viel Spaß beim Lernen!

Inhalt

1 Bei der Gastfamilie

Hier lernst du ...

> Wie war die Reise?

> Wir sind mit dem Bus gefahren. Ich habe nicht viel geschlafen.

> Möchtest du etwas essen oder trinken?

> Ich möchte mich erst mal frisch machen.

eine Reise zu beschreiben

zu sagen, was du machen möchtest

> Darf ich mit meinen Eltern telefonieren?

zu verstehen, was du darfst und nicht darfst

> Ich hole euch von der Schule ab, und wir essen dann zu Mittag.

> Alles klar.

den Tagesablauf einer Familie zu beschreiben

Wir fahren mit der Bahn nach Frankreich. Von da aus fahren wir mit der Fähre nach Irland. Von Irland fliegen wir nach Argentinien weiter. Dann fahren wir mit dem Zug nach Mexico. Von Mexico fahren wir mit dem Schiff nach Indien. Wir fahren dann mit dem Bus weiter. Wir fahren nach Rußland. Wir steigen in Moskau um. Und... wir fahren mit der Bahn wieder nach Hause.

Stefan und Christian, Salzburg

Wir fahren um Mitternacht mit der Bahn ab. Wir fahren mit dem Zug bis Istanbul in der Türkei. Dort steigen wir um. Wir fahren dann mit dem Bus weiter, und zwar nach Ägypten. Dann fliegen wir nach Australien weiter. Von da aus fahren wir mit dem Boot nach Chile. Von Chile aus fliegen wir nach London, und wir fahren mit dem Zug durch den Tunnel nach Berlin zurück. Wir kommen um Mitternacht wieder an.

Wolkan und Stefanie, Berlin

Achtung!
Paß auf die trennbaren Verben auf!
Wir **fahren** um Mitternacht **ab**.
Wir **steigen** in Istanbul **um**.

1 KLARO-Artikel: Die Welt in drei Monaten

‚Ihr habt keine Geldprobleme‘, haben wir gesagt. ‚Plant eine Reise um die Welt.‘ Wir haben massenhaft Post bekommen. Lies die zwei Briefe links.

2 Stimmt das?

Korrigiere die falschen Sätze.
Beispiel
1 Stefan und Christian fahren **mit der Fähre** nach Irland.

1 Stefan und Christian fahren mit dem Zug nach Irland.
2 Von Indien aus fahren sie mit der Bahn weiter.
3 Sie fahren mit der Bahn nach Salzburg zurück.
4 Wolkan und Stefanie fahren um Mittag mit dem Zug ab.
5 Sie fahren mit dem Bus nach Australien weiter.
6 Sie fliegen nach Berlin zurück.

3 Mach eine Weltreise

Plan deine eigene Weltreise und nimm sie auf Kassette auf.
Beispiel
Wir fahren um 13.13 Uhr mit der Bahn ab. Ich ...

4 Und wie war die Reise?

Hör gut zu und lies die Bildgeschichte.
Sarahs Schule macht einen Austausch mit der Wilhelm-Busch-Schule in
Clausthal-Zellerfeld.

– Wie war die Reise?
– Ach, ganz gut. Wir sind um 23.00 Uhr
mit der Bahn abgefahren. Ich habe im Zug
ein bißchen geschlafen.

– Seid ihr durch den Tunnel gekommen?
– Nein. Wir sind mit der Fähre gefahren.

– Warst du seekrank? War's stürmisch?
– Ich weiß es nicht. Ich habe die ganze Zeit
geschlafen.

– Naja. Dann sind wir mit der Bahn
weitergefahren.
– Und du hast im Zug geschlafen ...
– Eine Stunde oder so.

– Seid ihr direkt nach Goslar gefahren?
– Wir sind in Hannover umgestiegen. Aber
der Zug hatte Verspätung und wir sind eine
Stunde zu spät in Goslar angekommen.

– Und von Goslar aus sind wir mit dem Bus
weitergefahren.
– Was willst du jetzt machen? Hast du
Hunger?
– Schnarrrrrch…
– Sarah? Sarah?

Lerntip

Trennbare Verben im Perfekt

Wir **sind** um Mitternacht **abgefahren**.

Lerntip

Wortstellung bei Adverbien

Wir sind ...

1 **Wann?**
um neun Uhr

2 **Wie?**
mit der Bahn

3 **Wo?/Wohin?**
nach Paris abgefahren.

5 Sarahs Freundinnen

Angela und Becci beschreiben die Reise auch. Hör gut zu. Was sagen sie?
Füll die Lücken aus.

angekommen   abgefahren   umgestiegen   weitergefahren

Beispiel
1 Wir sind um 24.00 Uhr **abgefahren**.

1 Wir sind um 24.00 Uhr ....
2 Wir sind um 5.00 Uhr in Oostende ....
3 Wir sind mit der Bahn nach Hamburg ....
4 Wir sind um 10.00 in Hildesheim ....

Angela und Becci haben Fehler gemacht. Charlotte und Laura
beschreiben die Reise richtig. Hör gut zu und korrigiere die Fehler.
Beispiel
1 Wir sind um ~~24.00~~ Uhr abgefahren. → um 23.00 Uhr.

6 Jetzt bist du dran!

Übe den Dialog ‚Und wie war die Reise?' mit einem Partner oder einer
Partnerin. Improvisiere neue Details.
Beispiel

A Wie war die Reise?

B Ach, nicht so gut. Wir sind um 2.00
Uhr mit der Bahn abgefahren.

1 📼 Willst du etwas essen?

Hör gut zu und lies die Geschichte. Becci kommt bei ihrer Gastfamilie an.
Die Familie ist ganz nett, aber Becci ist nach der Reise wirklich müde.

1

Willkommen in Clausthal. Willst du etwas essen?

Ein Brot vielleicht.

Ich möchte lieber schlafen ... Ich bin total müde.

2

Hast du Durst? Möchtest du etwas trinken?

Ein Mineralwasser, bitte.

Ich möchte lieber schlafen…

3

Meinen Koffer kann ich später auspacken.

Willst du deine Sachen auspacken? Kann ich dir helfen?

Ich möchte mich hinlegen ...

4

Oder willst du zu Hause anrufen? Das Telefon ist hier.

Vielleicht kann ich später mit meinen Eltern telefonieren.

Ich möchte mich hinlegen…

5

Willst du dich frisch machen? Willst du dich duschen?

Ich will mich hinlegen…

Äh... später ...

Zwanzig Minuten später…

12

Äh... Ja.

Möchtest du dich hinlegen?

Du bist ja ganz müde! Du hast bestimmt nicht geschlafen.

Endlich…

Lerntip

Wortstellung bei Modalverben

Willst	du	etwas	trinken?
Möchtest	du	dich frisch	machen?
Kann	ich	dir	helfen?
Ich	**will**	etwas	essen.
Ich	**möchte**	mich	hinlegen.
Ich	**kann**	später	telefonieren.

2 Was paßt am besten zusammen?

Lies die zwei Listen. Schreib die Sätze auf, die am besten zusammenpassen.

Beispiel

2 Ich will etwas essen. **b** Ich habe Hunger.

1	Ich möchte schlafen.	a	Ich möchte mich duschen.
2	Ich will etwas essen.	b	Ich habe Hunger.
3	Ich will zu Hause anrufen.	c	Ich habe Durst.
4	Ich möchte etwas trinken.	d	Ich will mich hinlegen.
5	Ich will mich frisch machen.	e	Ich möchte mit meiner Familie telefonieren.

3 🔲 Wer sagt was?

Lies die Sätze unten und hör gut zu. Angela, Steven, Charlotte, Laura, Edward und Faroukh sprechen mit ihren Gastfamilien. Wer sagt was?

Beispiel

Angela – b (Ich möchte lieber Tee trinken.)

Angela

Steven

Charlotte

Laura

Edward

Faroukh

a Ich möchte gerne meine Eltern anrufen.
b Ich möchte lieber Tee trinken.
c Ich möchte mich jetzt frisch machen.
d Ich will mich hinlegen.
e Ich will erst mal meine Sachen auspacken.
f Ich will jetzt essen.

4 🔲 Hallo

Guy kommt bei seiner Gastfamilie an. Er spricht mit seiner Gastmutter. Rekonstruiere den Dialog unten. Dann hör gut zu. Hast du recht?

Beispiel

Hallo. Wie war die Reise?
Die Reise war OK, aber ich bin ziemlich müde.

Ja. Natürlich. Dein Zimmer ist oben gegenüber vom Badezimmer.

Nein. Noch nicht.

Du kannst sie anrufen, wenn du willst.

Das ist sehr nett. Vielleicht rufe ich nach meiner Dusche an.

Nein. Ich habe im Zug gegessen. Ich möchte meine Sachen auspacken.

Möchtest du vielleicht etwas essen?

Hallo. Wie war die Reise?

Kein Problem. Du weißt, wo das Badezimmer ist. Hast du deine Familie schon angerufen?

Alles klar. Ich möchte mich auch frisch machen.

Die Reise war OK, aber ich bin ziemlich müde.

5 Ich möchte mich hinlegen

Schreib die Szenen 6 bis 11 aus ‚Willst du etwas essen?‘.

Beispiel

Austauschpartnerin: Willst du Musik hören?
Becci: Im Moment nicht. Ich bin müde. (*Ich möchte mich hinlegen …*)

Lesepause

Mit sechzehn Jahren Bier trinken?

Lieber Opa!

Vielen Dank für das Geld. Irland ist echt teuer. Eigentlich finde ich die Iren wirklich freundlich und meine Gastfamilie ist auch ganz in Ordnung.

ABER … wir dürfen hier nicht in die Kneipe! Die spinnen, die Iren. In Deutschland darf jeder Schüler mit sechzehn Jahren in die Kneipe gehen. Hier darf man erst mit achtzehn in die Kneipe gehen.

Ich habe meiner Austauschpartnerin erzählt, man darf mit sechzehn in Deutschland in die Kneipe gehen, aber sie glaubt es mir nicht.

Kannst Du mir noch DM 100 für die letzten paar Tage schicken?

Claudia

Herr Zaby
Dammstr. 12
D – 38678
Clausthal-Zellerfeld
Germany

Für M.

'was Neues gekauft
zurückgekommen
Tee getrunken

Haare gewaschen
geduscht
ausgegangen

gequatscht
gelacht
getanzt

umarmt
geküßt
geknutscht

und irgendwann
‚Tschüs' gesagt

nicht geschlafen
nicht geschlafen
nicht geschlafen
nicht geschlafen

Julla

Liebe Mutti, lieber Vati!

Wie geht's? Mir geht's immer noch ganz toll. Siobhan und ich verstehen uns ganz gut. Und ihre Familie ist auch ganz freundlich.

Siobhans Bruder Mike ist unheimlich attraktiv! Gestern sind wir mit ihm surfen gegangen. Er ist erst siebzehn, aber er kann schon Auto fahren. Hier darf man mit siebzehn fahren. Er hat einen alten VW-Käfer. Farbe: lila.

Man darf hier erst mit achtzehn in die Kneipe gehen. Ich finde das eigentlich in Ordnung. Claudia ist aber ganz frustriert.

Leider (?) kann ich hier nicht mehr viel schreiben. Wir gehen heute abend mit Mike aus, und ich möchte mich erst mal frisch machen.

Tschüüüüüüüüüüüüüüüüüüüüüüs!

Julla

GAUDI-Magazin

Was hast du in den Sommerferien gemacht?
Oder: nächstes Jahr mache ich das anders ...

Ich war mit meinen Eltern und einer Freundin in Italien. Aber das ist das letzte Mal, daß ich zusammen mit meinen Eltern wegfahre. Das Wetter war furchtbar und meine Eltern haben die ganze Zeit gemeckert. Nächstes Jahr möchte ich lieber mit meinen Freunden Urlaub machen.

Martina Hausinger, 16 Jahre

WURSTFABRIK

Ich bin dieses Jahr mit der Schule fertig geworden und habe gleich angefangen zu arbeiten. Zuerst in einem Büro, dann in einem Supermarkt und danach als Verkäuferin in einem Warenhaus. Mit Urlaub war also nichts drin. Jetzt arbeite ich in einer Wurstfabrik.

Claudia Rüberg, 17 Jahre

MECKEREI

KLATSCHNASS

Wir waren mit Rucksack und Zelt in Frankreich unterwegs. Wir sind schließlich in Paris gelandet. Ich wollte meine französische Brieffreundin besuchen, aber sie war nicht da. Sie war auf Urlaub. Wir hatten nicht genug Geld für ein Hotel und wir haben in einem Park gezeltet, aber jemand hat die Polizei angerufen.

Mehmet Ozal, 16 Jahre

Mein Freund und ich haben eine Radtour gemacht. Wir sind von Berlin nach Polen gefahren. Wir haben in Jugendherbergen übernachtet. Aber öfters waren die Jugendherbergen voll und wir hatten kein Zelt dabei. Eine Nacht haben wir im Freien geschlafen und es hat ganz toll geregnet. Wir waren am Morgen beide klatschnaß. Das war das Letzte. Wir sind sofort mit dem Zug zurückgefahren.

Peter Garnoff, 16 Jahre

POLIZEI

1 🔊 Zettelchen für Kevin

Karstens Mutter ist nicht zu Hause als Kevin ankommt. Hör gut zu und lies die Geschichte.

Lerntip

Die Modalverben dürfen und können

dürfen	können
ich darf	ich kann
du darfst	du kannst
Karsten darf	Karsten kann
er/sie/es darf	er/sie/es kann
wir dürfen	wir können
ihr dürft	ihr könnt
sie dürfen	sie können
Sie dürfen	Sie können

Achtung!
du kannst nicht = you can't / you're not able to
du darfst nicht = you can't / you may not / you're not allowed to / you mustn't
du mußt nicht = you don't have to

2 Alles klar?

Was hat Karstens Mutter geschrieben? Lies die Zettelchen noch einmal und schreib die richtigen Sätze auf.

Beispiel
1 a Kevin darf seine Freunde anrufen.

1 a Kevin darf seine Freunde anrufen.
  b Kevin darf keine Freunde anrufen.

2 a Kevin muß nicht immer fragen, bevor er telefoniert.
  b Kevin darf nicht immer fragen, bevor er telefoniert.

3 a Kevin kann kein Bier aus dem Kühlschrank nehmen.
  b Kevin darf kein Bier aus dem Kühlschrank nehmen.

4 a Karsten und Kevin möchten nicht zum Bäcker gehen.
  b Karsten und Kevin dürfen nicht zum Bäcker gehen.

3 🔊 Was darf man? Was darf man nicht?

Hör gut zu. Marcos Mutter erklärt Edward, was er alles darf und nicht darf. Mach Notizen.

Beispiel
1 Er darf nicht alleine in die Stadt fahren.

> Freunde in England anrufen?   Alleine in die Stadt fahren?   In die Sauna gehen?
>
> Essen aus dem Kühlschrank nehmen?   Fernsehen?   Marcos CDs hören?

4 Zoffkasten

Lies das Problem aus dem Zoffkasten.
Welche Schlagzeile paßt am besten?

Lieber Zoffkasten!

Könnt ihr mir helfen? Seit sechs Wochen gehe ich mit einem netten, attraktiven Jungen aus. Er ist witzig, und wir verstehen uns prima. Nur, er ist fünf Jahre älter als ich. Ich habe meinen Eltern über Andreas erzählt, aber sie waren wirklich sauer auf mich. Jetzt darf ich nicht mehr ausgehen und ich darf auch nicht mit Andreas telefonieren. Alle Kontakte sind jetzt verboten. Was kann ich machen? Mit meinen Eltern kann ich nicht darüber reden. Ich bin deprimiert. Ich denke die ganze Zeit an ihn.

JULIANA, 15

Darf ich meine Eltern anrufen?

ICH MUß NICHT TELEFONIEREN.

WIR DÜRFEN UNS NICHT TREFFEN.

Meine Eltern kann ich verstehen.

5 Stimmt das?

Korrigiere die falschen Sätze.
Beispiel
Juliana geht seit ~~fünf~~ Wochen mit Andreas aus. →
Juliana geht seit **sechs** Wochen mit Andreas aus.

1 Sie hat im Moment keine Chance, Andreas zu sehen.
2 Das Ausgehverbot ist für sie keine Katastrophe.
3 Juliana darf ihren Freund so oft anrufen, wie sie will.
4 Andreas ist für Juliana gar nicht wichtig.
5 Julianas Eltern denken, er ist viel zu jung für sie.
6 Sie darf nicht mit ihren Eltern darüber reden.

6 Liebe Juliana!

Der Zoffkasten hat an Juliana geschrieben. Kannst du den Brief rekonstruieren?
Beispiel

Deine Eltern kann ich verstehen, aber Du bist kein ...

mit Deinen Eltern darüber reden? Sei mutig!

auch nicht vergessen. Das Ausgehverbot ist bestimmt nicht

verstehen, aber Du bist kein

Deine Eltern kann ich

Kind mehr, und das dürfen Deine Eltern

fair, aber Konfliktsituationen kann man

nur durch Diskussion lösen. Kannst Du wirklich nicht

7 Umfrage

Interview deine Klassenkameraden.

• Darfst du so oft telefonieren, wie du willst?
• Darfst du bei Freunden übernachten?
• Darfst du so oft ausgehen, wie du willst?
• Darfst du Partys machen?
• Darfst du so viel fernsehen, wie du willst?
• Darfst du Musik so laut hören, wie du willst?

Lieber David

Hallo. Wie geht's? In zwei Wochen bist Du da! Ich beschreibe hier einen mehr oder weniger typischen Tag bei uns in der Familie.

Wir stehen gewöhnlich gegen 6.20 Uhr auf, manchmal ein bißchen später. Um 6.30 möchten sich alle auf einmal waschen oder duschen. Ins Badezimmer kann keiner. Bis 7.00 Uhr herrscht normalerweise Chaos.

Wir frühstücken gegen 7.00 Uhr. Normalerweise Cornflakes oder Pixie-Pops oder sowas. Um 7.30 Uhr oder so verlassen wir das Haus. Mein Vater geht zur Arbeit. Meine Mutter auch. Ich gehe in die Schule. Naja. Kein Kommentar.

Die Schule ist um 13.00 Uhr aus. Meine Mutter holt mich gegen 13.10 Uhr ab, und wir essen um 14.00 Uhr zu Mittag. Nachmittags mache ich meine Hausaufgaben (ja, Hausaufgaben gibt's bei uns auch), oder ich gehe mit Freunden aus. Manchmal kommt meine Freundin vorbei.

Mein Vater ist gewöhnlich gegen 18.00 Uhr wieder da. Wir essen um 20.00 Uhr zu Abend. Danach sehen wir ein bißchen fern oder hören Musik. Manchmal reden wir miteinander! Wir gehen normalerweise gegen 23.00 Uhr ins Bett.

Also. So ist es bei uns. Ich freue mich schon auf Dich.

Bis bald

Frank

1 Tagesablauf

Lies Franks Brief und beantworte die Fragen auf deutsch.

Beispiel

1 Sie stehen gewöhnlich gegen 6.20 Uhr auf.

1 Um wieviel Uhr steht die Familie auf?
2 Wann frühstücken sie?
3 Was machen sie um halb acht?
4 Wie kommt Frank nach der Schule heim?
5 Was macht er nach dem Mittagessen?
6 Wann kommt sein Vater nach Hause?
7 Was machen sie abends?
8 Wann gehen sie ins Bett?

2 ▦ Ein typischer Tag?

David ist jetzt bei Frank zu Besuch. Wie typisch ist jeder Tag? Lies Franks Brief noch einmal und hör gut zu. David kommentiert sechs Tage, Montag bis Samstag. Entscheide jedesmal, ob der Tag typisch war.

Beispiel

Montag – typisch

3 ▦ Eine Minute auf der Straße

Die Radiosendung ‚Eine Minute auf der Straße' stellt die Frage ‚Was machen Sie nicht gern morgens?' Hör gut zu und schreib die Buchstaben in der richtigen Reihenfolge auf.

Beispiel

1 b

4 📼 Ein fester Tagesablauf

Lies die Bildgeschichte und hör gut zu.

Du teilst mit Marco. Wir haben in der Familie einen festen Tagesablauf. Wir stehen gegen 6.30 Uhr auf, wir früstücken um 7.15 Uhr und wir gehen um 7.40 Uhr aus dem Haus. Die Schule ist um 13.00 Uhr aus. Ich hole euch um 13.10 Uhr ab.

Wir haben zwei Badezimmer. Eins oben und eins hier unten. Mein Mann und ich, wir duschen uns oben. Ich dusche mich von 6.30 Uhr bis 6.40 Uhr. Marco duscht sich entweder unten um 6.20 Uhr oder oben um 6.50.

> Naja. Vielleicht dusche ich mich gar nicht.

Die Mädchen duschen sich um... äh... Moment mal...Marike! Margit! Um wieviel Uhr duscht ihr euch? Um wieviel Uhr duscht ihr euch??

Naja. Sie duschen sich unten. Also am besten duschst du dich unten, nein oben... um... Moment mal.

5 Wie bitte?

Was paßt zusammen? Schreib eine kurze Zusammenfassung eines typischen Morgens in Marcos Familie.
Beispiel
1 Die Familie steht gegen 6.30 Uhr auf.

1 Die Familie ...	duschen sich oben.
2 Edward ...	teilt ein Schlafzimmer mit Marco.
3 Es gibt zwei ...	holt sie von der Schule ab.
4 Die Mädchen ...	steht gegen 6.30 Uhr auf.
5 Die Gasteltern ...	Badezimmer.
6 Sie ...	gehen um zwanzig vor acht aus dem Haus.
7 Marcos Mutter ...	duschen sich unten.

6 Dein eigener Tagesablauf

Beschreib deinen eigenen Tagesablauf.
Beispiel
Wir stehen normalerweise gegen 7.00 Uhr auf ...

Du hast die Wahl

1 Für M.

Lies noch einmal das Gedicht ‚Für M.' auf Seite 10. Schreib ein ähnliches Gedicht mit Hilfe eines Wörterbuchs.

2 Um die Welt in achtzig Wörtern

Beschreib eine Reise um die Welt. Du mußt genau achtzig Wörter benutzen. Keine neunundsiebzig. Keine einundachtzig. Genau achtzig.

3 Was machst du morgens nicht gerne?

Interview deine Klassenkameraden auf Kassette. Stell jedesmal nur eine einzige Frage: ‚Was machst du morgens nicht gerne?' Mach eine Graffitiwand mit den Antworten.
Beispiel

ICH GEHE NICHT GERNE IN DIE SCHULE!

ICH STEHE NICHT GERNE AUF!

ICH ESSE NICHT GERNE TOAST!

4 📼 Hannos Postkarte

Lies mal Hannos Postkarte. Einige Wörter fehlen. Schreib die Postkarte korrekt auf und hör dir die Kassette an. Die Lösung ist auf der Kassette.

5 📼 Logisch?

Hör dir das Interview zum Thema Tagesablauf an. Welche Frage bekommt eine unlogische Antwort?

Wann steht deine Familie auf?

Wann gehst du ins Bett?

Um wieviel Uhr duschst/wäschst du dich?

Frühstückst du?

Um wieviel Uhr gehst du aus dem Haus?

Wann machst du deine Hausaufgaben?

6 📼 Brasilien

Hör dir die erste Episode der Serie an.

7 📼 Aussprache

Hör gut zu und wiederhole.

Ich stehe auf; Ich gehe aus; Ich steige ein; Wir fahren ab; Wir steigen um; Wir kommen an; Wir steigen aus; Wir gehen heim; Ich schlafe ein.

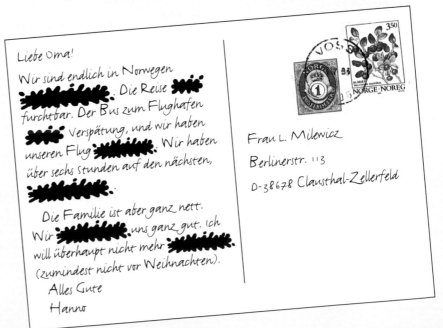

Liebe Oma!

Wir sind endlich in Norwegen ▓▓▓. Die Reise ▓▓▓ furchtbar. Der Bus zum Flughafen ▓▓▓ Verspätung, und wir haben unseren Flug ▓▓▓. Wir haben über sechs Stunden auf den nächsten, ▓▓▓.

Die Familie ist aber ganz nett. Wir ▓▓▓ uns ganz gut. Ich will überhaupt nicht mehr ▓▓▓ (zumindest nicht vor Weihnachten).

Alles Gute

Hanno

Frau L. Milewicz
Berlinerstr. 113
D-38678 Clausthal-Zellerfeld

Zusammenfassung

Grammatik

Trennbare Verben im Perfekt

Wir **sind** um Mitternacht **abgefahren.**
Wir **sind** in Hannover **umgestiegen.**

Wortstellung bei Modalverben

Willst	du	etwas	trinken?
Möchtest	du	dich frisch	machen?
Kann	ich	dir	helfen?

Ich	**will**	etwas	essen.
Ich	**möchte**	mich	hinlegen.
Ich	**kann**	später	telefonieren.

Wortstellung bei Adverbien

	Wann?	**Wie?**	**Wo?/Wohin?**	
Wir sind	um neun Uhr	mit der Bahn	nach Paris	abgefahren.
Ich bin	im August	mit der Fähre	nach Japan	gekommen.

Die Modalverben dürfen und können

dürfen	**können**
ich darf	ich kann
du darfst	du kannst
Karsten darf	Karsten kann
er/sie/es darf	er/sie/es kann
wir dürfen	wir können
ihr dürft	ihr könnt
Sie dürfen	Sie können
Kevin und Karsten dürfen	Kevin und Karsten können
sie dürfen	sie können

Reflexivverben

sich duschen – to have a shower

ich dusche mich
du duschst dich
Marco duscht sich
er/sie/es duscht sich

wir duschen uns
ihr duscht euch
Sie duschen sich
die Mädchen duschen sich
sie duschen sich

Jetzt kannst du ...

eine Reise beschreiben

Wir sind um 18.00 Uhr am Freitagabend abgefahren.	We set off at 6 o'clock on Friday evening.
Wir sind mit der Fähre gekommen.	We came by ferry.
Wir sind in Köln umgestiegen.	We changed in Cologne. (e.g. train, bus)

sagen, was du machen möchtest

Willst du deine Sachen auspacken?	Do you want to unpack?
Möchtest du dich frisch machen?	Would you like to freshen up?
Ich will mich hinlegen.	I want to go and lie down.
Ich möchte meine Familie anrufen.	I'd like to phone my family.

verstehen, was du darfst und nicht darfst

Du darfst mit deinen Freunden telefonieren.	You can/may call your friends.
Flaschen darf man nicht wegwerfen.	You're not allowed to throw bottles away.

den Tagesablauf einer Familie beschreiben

Wir stehen gegen 6.20 Uhr auf.	We get up about 6.20am.
Meine Mutter holt mich um 13.00 Uhr ab.	My mother picks me up at 1pm.
Nachmittags gehe ich mit Freunden aus.	I go out with my friends in the afternoon.

2 Kontakte!

Hier lernst du ...

Unser Haus liegt in der Stadtmitte.

über deinen Wohnort zu sprechen

Die Berge sind höher als in Deutschland.

über andere Länder zu sprechen

Ich finde sie witzig.

über dich und andere Leute zu sprechen

über deine Hobbys zu sprechen

Mein Hobby ist Kanu fahren.

1 Partner-Infos

Tanya, Steven, Ashley und Jen suchen Austauschpartner/innen aus Deutschland. Unten sind Anzeigen von fünf deutschen Schülern/Schülerinnen. Trag die Tabelle unten in dein Heft ein und füll sie für jeden Ort aus.

Ortsname	Wo genau?	Viele Fabriken?	Landschaft?	Einkaufen?	Viel für Jugendliche?	Leute?	Jobs?
Chemnitz	Südost-deutschland	✔	🙁	🙂	✔	🙂	🙁

Unser Haus liegt in der Stadtmitte von Chemnitz. Hier gibt es oft Probleme, und man findet bestimmt keinen Job. Die Landschaft ist flach und grau und es gibt viele Fabriken.

BEATE AUS CHEMNITZ (Großstadt in südostdeutschland)

Unsere Wohnung liegt am Rande der Stadt Chemnitz. Die Stadt ist alt und verfallen, aber es gibt viele Jugendzentren und Geschäfte. Die Landschaft ist häßlich, aber die Leute sind freundlich.

MATTHIAS AUS CHEMNITZ (Großstadt in südostdeutschland)

Unser Bungalow liegt am Rande des Dorfes Medebach. Die Landschaft ist grün und hügelig. Es gibt keine Fabriken, aber wenige Geschäfte und nichts für Jugendliche. Man findet auch keinen Job. Ich finde die Leute kühl und reserviert.

JUTTA AUS MEDEBACH (Dorf in mitteldeutschland)

Unsere Wohnung liegt am Rande der Stadt. Die Landschaft ist schön. Es gibt wenige Fabriken und unheimlich viel für Jugendliche und man findet bestimmt einen Job. Die Stadtmitte ist sauber und hat viele Geschäfte. Aber ich finde die Leute reserviert.

ANNETTE AUS LEMGO (Kleinstadt in nordwestdeutschland)

Unser Haus liegt am Dorfrand. Hier gibt es keine Fabriken, aber auch keine Discos und nur wenige Geschäfte. Man findet auch keinen Job. Die Landschaft ist flach und langweilig, aber die Leute sind freundlich.

PAUL AUS POGGENDORF (Dorf in Nordostdeutschland)

Lerntip

Unser/unsere (im Nominativ)
Maskulinum   unser Bungalow
Femininum   unsere Wohnung
Neutrum   unser Haus
Plural   unsere Geschäfte

2 ▭ Kassettenbriefe

Die fünf Schüler/innen aus Deutschland haben auch Kassettenbriefe
geschickt. Hör gut zu und lies die Partner-Infos auf Seite 18 noch mal.
Wer spricht jedesmal?
Beispiel
1   Annette

3 ▭ Noch etwas!

Hör noch mal zu, lies die Sätze unten und wähl jeweils a, b oder c.
Beispiel
1   a

1   In Lemgo wohnt Annette **a)** sehr gerne **b)** nicht sehr gerne
    c) gar nicht gerne.
2   Pauls Haus ist **a)** klein und gemütlich **b)** groß und mies **c)** modern.
3   Poggendorf ist **a)** total langweilig **b)** sehr lebendig **c)** schön.
4   In Medebach gibt es **a)** keine **b)** viele **c)** wenige Fachwerkhäuser.
5   Jutta findet es in Medebach **a)** furchtbar **b)** langweilig **c)** prima.
6   Chemnitz ist **a)** modern **b)** sauber **c)** sehr lebendig.

4 ▭ Die Partnerwahl

Hör zu. Die Jugendlichen aus England haben ihre Partner/innen gewählt.
Wie finden sie die Schüler/innen? Vervollständige jeden Satz mit einem
Adjektiv aus den Kästchen unten.
Beispiel
1   Ashley findet Matthias ziemlich pessimistisch.

1   Ashley findet Matthias ziemlich _____.
2   Jen findet Paul _____.
3   Tanya findet Jutta _____.
4   Steven findet Annette _____.

sympathisch   pessimistisch   unsympathisch

interessant   nett

uninteressant   langweilig   OK

Wer hat wen als Partner/in gewählt?
Beispiel
Ashley – Beate

Schönstadt

Miesdorf

5 (Alp)traumstadt

Wie gut/schlecht könnte die allerbeste/allerschlimmste Stadt der Welt
sein? Beschreib sie schriftlich oder auf Kassette.
Beispiel
In Schönstadt gibt es viele tolle Geschäfte ...
In Miesdorf gibt es gar nichts für Jugendliche ...

1 Eure Berge sind höher

Iain kommt aus Schottland, aber möchte gerne in Deutschland wohnen.
Jürgen wohnt in Deutschland, aber möchte gerne in Schottland wohnen!
Lies die Sätze unten. Wer sagt was?
Beispiel
1 Iain

Eure Landschaft ist so viel grüner. **1**

Eure Berge sind viel höher. **2**

Euer Klima ist viel trockener. **3**

Euer Sommer ist angenehmer und kühler. **4**

Eure Stadt ist lebendiger. **5**

Eure Schulen sind kleiner und angenehmer. **6**

2 🔲 Noch etwas!

Jetzt hör gut zu und sieh dir deine Antworten zu ‚Eure Berge sind höher'
an. Hattest du recht?

3 Erster Eindruck …

Judith, Simon, Josh und Kate sind in Deutschland angekommen. Lies die
Texte unten. Wie viele Adjektive im Komparativ kannst du finden?
Beispiel
reicher, größer, besser …

a Hier sind überall Mercedese und BMWs. Man kann das Geld fast riechen! Hier gefällt es mir aber nicht. Die Stadt ist zwar reicher als Norwich, dafür aber völlig charakterlos! Alles ist größer und ‚besser' als zu Hause. Die Büros sind neuer und die Wohnblöcke sind höher, aber die Preise auch!

b Mein erster Tag in Deutschland! Erster Eindruck – fast wie zu Hause! Nur Kleinigkeiten sind anders. Die Autos sind meistens neuer, die Straßen sind sauberer und CDs sind teurer! Osnabrück ist moderner als Leamington und viele Häuser sind neuer, aber das ‚Gefühl' beim Alltagsleben ist nicht anders.

c Mein erster Eindruck von Deutschland. Ein schönes Land! Die Landschaft ist hügeliger, aber auch viel schöner als zu Hause in Grantham. Das Wetter ist etwas kühler und die Berge sind höher und steiler als bei uns. In den Geschäften ist alles viel teurer – aber dafür ist die Qualität auch viel besser!

d Bamberg ist toll! Die Stadt ist schöner als Halifax, und die Stadtmitte ist ruhiger (ohne Dieselabgase, wegen der Fußgängerzone). Die Landschaft ist etwas grüner als zu Hause und auch viel flacher. Im allgemeinen sind die Häuser viel älter (meistens Fachwerkhäuser!). Hier ist es auch viel wärmer als zu Hause!

4 🔲 Wer ist wer?

Lies die Texte noch mal und hör gut zu. Wer hat welchen Text
geschrieben?
Beispiel
a Judith

Lerntip

Euer/eure und ihr/ihre (im Nominativ)

Maskulinum	Femininum	Neutrum	Plural
euer Garten	eure Landschaft	euer Klima	eure Geschäfte
ihr Garten	ihre Landschaft	ihr Klima	ihre Geschäfte

5 Ein außerirdisches Wesen in Deutschland

Frod Perfekt ist Raumfahrer. Er ist jetzt in Deutschland und er redet über seine Ferien auf anderen Planeten. Lies die Bildgeschichte und dann beantworte die Sätze unten mit a, b oder c.

Beispiel

1   c

Auf Taunus 1172 sind die Autos neuer und besser als deutsche Autos. Eure Autos sind viel kleiner als ihre.

Euer Haus ist viel kleiner als die Häuser auf Taunus 1172. Ihre Häuser sind auch neuer.

Ihre Einkaufszentren sind größer und schöner. Eure Geschäfte sind teurer – man bekommt viel weniger für einen Mülltonnendeckel!

Eure Stadt ist älter als die Städte auf Jaax 46.

Eure Landschaft ist flacher als die Landschaft auf Jaax 46. Eure Berge sind kleiner. Und euer Himmel ist blau. Ihr Himmel ist rot!!!

Eure Mahlzeiten sind kleiner als auf Klimbim 85. Dort bekommt man einen Mega-Nacktschneckenburger. Lecker!

Euer Benzin ist viel teurer als das Benzin auf Klimbim 85. An der nächsten Tankstelle ist es vielleicht billiger!

So ein Pech! Kein Benzin mehr! Hier gibt es weniger Tankstellen als auf Klimbim 85 …

… aber dafür sind unsere Autos viel sparsamer als ihre, Frod!

1   Frod findet deutsche Autos:
    a) besser   b) größer   c) kleiner
    als die Autos auf Taunus 1172.
2   Auf Taunus 1172 sind die Häuser meistens:
    a) größer   b) neuer   c) besser   als in Deutschland.
3   In Deutschland findet Frod die Landschaft:
    a) flacher   b) interessanter   c) schöner
    als auf Jaax 46.

4   Auf Klimbim 85 ist das Benzin:
    a) teurer   b) billiger   c) besser als in Deutschland.
5   Deutsche Autos sind:
    a) häßlicher   b) billiger   c) sparsamer
    als die Autos auf Klimbim 85.

Lesepause

Möchtest du nördlich des Polarkreises leben? Lies diese Geschichte über die Inuit*.

*Man hört das Wort ‚Eskimos‘ nicht gerne. Es ist ein indianisches Schimpfwort und bedeutet ‚Rohfleischfresser‘. Sie selbst nennen sich einfach nur ‚Inuit‘ (zu deutsch: ‚Menschen‘). Die Einzahl heißt ‚Inuk‘.

‚Hätten wir nur die gleichen traurigen Augen wie Robbenbabies …‘

Bei meiner Landung in Broughton Island – es ist jetzt Ende August – fallen dicke Schneeflocken. Das kleine Dorf der Inuit liegt an der Ostküste von Baffin Island in Kanada. Die Landschaft sieht flach und weiß aus und die umliegenden Hügel sind teilweise mit Schnee bedeckt. Da es im arktischen Sommer schon um 15 Uhr dunkelt, schlage ich mein Igluzelt neben dem kleinen Hafen auf.

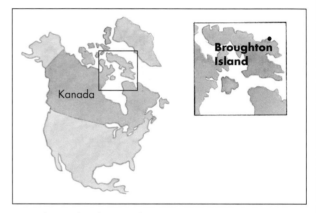

Broughton Island, Kanada

‚Inuit‘

Gegen Mitternacht wache ich plötzlich auf. Ich höre ein tiefes Brummen. Ich liege verkrampft in meinem Schlafsack, denn ich weiß nicht, welche Tiere es in dieser Gegend gibt. Das Geräusch wird immer deutlicher, ich halte den Atem an … und dann ist es draußen wieder ruhig. Was war das? Eine spielende Robbe? Ich will es gar nicht wissen … Kurz nach acht krieche ich aus meinem warmen

Schlafsack und gehe ins Dorf. Über Nacht hat es geschneit und die Straße liegt flach und weiß im Morgenlicht. So früh am Morgen ist nichts los. Am Dorfrand bellen ein paar angekettete Huskies, aber weit und breit ist niemand zu sehen.

Ein Paar Robben

Die Huskies

Das Dorf sieht sauber aus. Die Häuser, die Hundehütten, die Schneemobile, ja, sogar die Müllfetzen am Straßenrand sind mit Schnee bedeckt.

In der Dorfmitte gibt es einen tunnelförmigen Wellblechschuppen – ‚Coffee Shop‘, heißt es über der Tür. Aber dieser ‚Coffee Shop‘ ist Kiosk, Spielhalle, Jugendzentrum und Treffpunkt für das Dorf zugleich. Als ich bei meinem Hamburger und meinem Kaffee sitze, nicken mir die anderen Gäste (fünf Inuit in ölverschmierten Overalls) freundlich zu. Bald ist das Eis zwischen ihnen und mir gebrochen!

Ich finde heraus, daß letzte Nacht ein Eisbär am Dorfrand gewesen ist. Ich habe meinen Schlafplatz schlecht gewählt, meint Loasie, einer von ihnen.

Die folgende Nacht lädt Loasie mich in sein Haus ein. Dieser Inuk erzählt mir ein bißchen über die heutige Lage seines Volks. Hier, wie in vielen anderen Orten, regiert die Arbeitslosigkeit. Der Bau von Kraftwerken, Stauseen, Fischfabriken, Pipelines hat das Leben radikal verändert. Oft gibt's nur zwölf Wochen Arbeit im Jahr, und viele Inuit verlieren deswegen ihr Selbstwertgefühl.

Noch vor wenigen Jahren war das anders. Da war die Robbenjagd für die meisten Familien im Dorf das Wichtigste. Aber 1983 verbot die Europäische Gemeinschaft die Einfuhr von Robbenfellen. Greenpeace und andere Tierschutzorganisationen starteten die Kampagne zur Rettung der Robben, ohne die Auswirkungen für die Inuit in Kanada, Alaska und Grönland zu berücksichtigen.

‚Hier geht Tierschutz vor Menschenschutz‘, meinen die Inuit traurig. ‚Hätten wir nur die gleichen traurigen Augen wie Robbenbabies …‘

Die Robbenjagd

1 📼 Wie findest du ihn?

Hör gut zu und lies die Fotogeschichte unten.

1 Ich finde ihn etwas eingebildet, aber gut gelaunt und hilfsbereit.

Jürgen, dein Partner Karl, wie findest du ihn?

2 Und wie findet er dich?

Etwas launisch. Ehm ... er findet mich OK. Und du, Klaus, deine Partnerin Trudi, wie findest du sie?

3 Echt? Ich finde sie witzig und cool. Allerdings ... wie findet sie dich?

Unheimlich materialistisch! Sie ist total uninteressant!

4 Wir verstehen uns nicht gut. Sie findet mich nervig – zu selbstbewußt.

Das finde ich schade ... aber guck mal – hier kommt sie!

5 Jürgen, hi! Wir müssen uns beeilen! Die Party fängt in fünf Minuten an.

6 Ciao, Klaus. Wir sehen uns morgen.

2 Wer ist das?

Lies die Sätze unten. Kannst du herausfinden, wer das ist?
Beispiel
1 Karl

1 Jürgen findet ihn gut gelaunt.
2 Karl findet ihn etwas launisch, aber OK.
3 Klaus findet sie materialistisch und uninteressant.
4 Jürgen findet sie witzig und cool.
5 Trudi findet ihn nervig und zu selbstbewußt.

3 TV-Serie!

Erfind deine eigene TV-Serie und beschreib die Figuren.
Beispiel

ARD

19.00 Uhr: Adelaide Park
　　Unsere neue Serie aus Australien!

Beatrice, 15
Sebastian findet sie witzig und cool. Peter findet sie egoistisch und eingebildet.

Peter, 18
Beatrice findet ihn sympathisch und gut gelaunt. Michaela findet ihn pessimistisch.

Lerntip

Direkte Objektpronomen

Nom.	Akk.
ich	mich
du	dich
er	ihn
sie	sie
es	es

4 Partnerarbeit

Wähl aus deiner Serie eine Rolle und sag einen Satz über die Person. Dein/e Partner/in muß erraten, wer du bist. Dann tauscht die Rollen.
Beispiel

A Sebastian findet mich witzig.

B Ehm ... Beatrice?

5 Die Familie Riemschneider

Du bist Regisseur/in des neuen Films ‚Die Familie Riemschneider'.
Lies die Infos unten, wähl die Schauspieler/innen und begründe deine
Wahl. Achtung! Die Schauspieler/innen dürfen nicht zuviel kosten
(Budget: DM 350.000) und sollten gut miteinander auskommen.

Beispiel

Rolle	Schauspieler/in
Silke Riemschneider	Bettina Brinkmann (schön, blonde Haare, sympathisch, verlangt nicht viel Geld)

Rollen

SILKE RIEMSCHNEIDER, 35
Blonde Haare, schön und schlank.
Selbstbewußt, aber auch
sympathisch und einfühlsam.
Kommt gut mit ihrer Mutter aus,
kann aber ihren Vater nicht leiden.

BIANCA RIEMSCHNEIDER, 62
Dunkelbraune Haare, mittelgroß,
ziemlich schön, sieht jung aus.
Meistens sympathisch und gut
gelaunt, kann aber auch pessimistisch
sein. Kommt gut mit ihrer Tochter,
Silke aus.

LUTZ RIEMSCHNEIDER, 59
Groß. Sehr selbstbewußt, etwas
egoistisch, aber trotzdem meistens
gut gelaunt und hilfsbereit.
Findet seine Tochter nervig.

Schauspieler/innen

BEATE BIRTELSBECK, 34
Deutsche, wohnt in
Menden. Blonde Haare,
sehr schön, schlank, sehr
selbstbewußt, aber auch
materialistisch und
launisch. Kann Ulrike
Meier und Bettina
Brinkmann nicht
leiden. Verlangt
DM200.000 für die Rolle.

ULRIKE MEIER, 67
Österreicherin, wohnt in
Graz. Graue Haare, etwas
dick, witzig und hilfsbereit,
aber auch nervig. Sieht alt
aus. Sie kann Beate
Birtelsbeck nicht leiden.
Verlangt DM85.000 für
die Rolle.

BETTINA BRINKMANN, 39
Deutsche. Blonde Haare,
ziemlich schön, schlank,
sehr sympathisch,
einfühlsam und nett, aber
auch faul. Kommt gut mit
Elke Bunse und Wolfgang
Jochbein aus. Verlangt
DM100.000 für
die Rolle.

ELKE BUNSE, 59
Schweizerin, wohnt in
Zürich. Dunkelbraune
Haare, schön, schlank,
meistens gut gelaunt, aber
ab und zu pessimistisch.
Sehr einfühlsam. Kann
Beate Birtelsbeck und Olaf
Schröder nicht leiden.
Verlangt DM100.000 für
die Rolle.

OLAF SCHRÖDER, 55
Deutscher, wohnt in
Dresden. Groß und
schlank, aber launisch,
arrogant und eingebildet.
Kommt sehr gut mit Beate
Birtelsbeck aus, kann aber
Elke Bunse nicht leiden.
Verlangt DM150.000 für
die Rolle.

WOLFGANG JOCHBEIN, 58
Österreicher, wohnt jetzt in
München. Groß und dick.
Selbstbewußt, aber
interessant, nett und
witzig. Kann Ulrike Meier
nicht leiden, kommt gut
mit Bettina Brinkmann
aus. Verlangt DM100.000
für die Rolle.

6 🔊 Der Entschluß

Jetzt hör zu und mach Notizen. Die Regisseure rufen sich an, um die
Rollen zu verteilen. Hast du dieselben Schauspieler/innen wie sie gewählt?

1 Was machst du gerne?

Schwarzes Brett im Jugendklub. Lies die Partneranzeigen unten.
Welche Hobbys mag jede Person gerne/nicht gerne?
Mach zwei Listen auf englisch für jede Anzeige.
Beispiel

Torben   drawing …   archery …

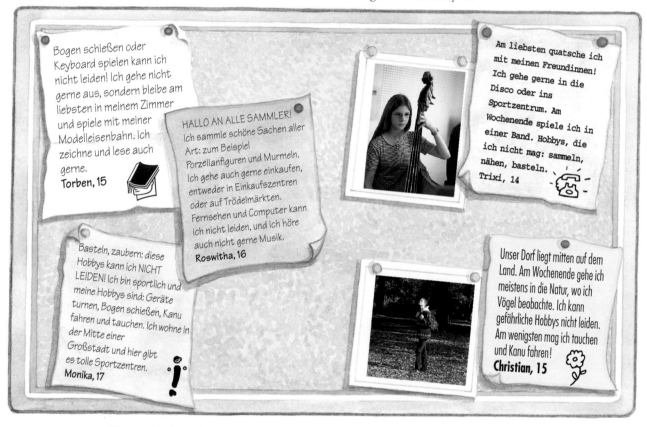

Bogen schießen oder Keyboard spielen kann ich nicht leiden! Ich gehe nicht gerne aus, sondern bleibe am liebsten in meinem Zimmer und spiele mit meiner Modelleisenbahn. Ich zeichne und lese auch gerne.
Torben, 15

HALLO AN ALLE SAMMLER!
Ich sammle schöne Sachen aller Art: zum Beispiel Porzellanfiguren und Murmeln. Ich gehe auch gerne einkaufen, entweder in Einkaufszentren oder auf Trödelmärkten. Fernsehen und Computer kann ich nicht leiden, und ich höre auch nicht gerne Musik.
Roswitha, 16

Basteln, zaubern: diese Hobbys kann ich NICHT LEIDEN! Ich bin sportlich und meine Hobbys sind: Geräte turnen, Bogen schießen, Kanu fahren und tauchen. Ich wohne in der Mitte einer Großstadt und hier gibt es tolle Sportzentren.
Monika, 17

Am liebsten quatsche ich mit meinen Freundinnen! Ich gehe gerne in die Disco oder ins Sportzentrum. Am Wochenende spiele ich in einer Band. Hobbys, die ich nicht mag: sammeln, nähen, basteln.
Trixi, 14

Unser Dorf liegt mitten auf dem Land. Am Wochenende gehe ich meistens in die Natur, wo ich Vögel beobachte. Ich kann gefährliche Hobbys nicht leiden. Am wenigsten mag ich tauchen und Kanu fahren!
Christian, 15

2 🔲 Noch etwas!

Wilfried
Anke
Rebecka
Dorian
Benno

Hör jetzt gut zu. Wilfried, Anke, Rebecka, Dorian und Benno sprechen über ihre Hobbys. Find für sie einen Partner/eine Partnerin von den Anzeigen oben.
Beispiel
Torben – Wilfried

3 Jetzt bist du dran!

Welche Hobbys magst du gerne? Welche Hobbys kannst du nicht leiden?
Schreib es auf einen Zettel und kleb ihn an die Wand.
Wie viele Leute in der Klasse kannst du identifizieren?
Beispiel

Ich lese sehr gerne und sehe gerne fern.

4 Lieber Zoffkasten!

Lies die Briefe und die Ratschläge aus dem Zoffkasten.

· L I E B E R   Z O F F K A S T E N ! ·

Lieber Zoffkasten!
Hilfe! Ich bin fünfzehn Jahre alt und bin schüchtern. Ich bleibe in meinem Zimmer, wo ich meine eigene Modelleisenbahn habe. Meine Freunde finden mich im großen und ganzen langweilig und meine Mutter meint, ich sollte mir einen Freund zulegen, aber das will ich nicht! Was kann ich tun?

SILKE, 15,
DUISBURG

Ich finde Dich nicht langweilig. Am besten suchst Du Dir ein paar neue Freunde und vielleicht auch einige neue Hobbys aus.

Lieber Zoffkasten!
Ich gehe gerne in die Natur! Für mich ist das aber ein furchtbares Problem! Mein Vater ist Bauer und er findet mich faul, weil ich ihm auf dem Bauernhof nicht helfe. Tiere sind für meinen Vater nur Nahrung, aber ich bin Vegetarier und möchte gerne in einem Zoo arbeiten.

ROLF, 14,
BIELEFELD

Hilf Deinem Vater ab und zu auf dem Bauernhof. Wenn Du mit ihm redest, wird er Deine Meinung vielleicht verstehen!

Lieber Zoffkasten!
Hilfe! Meine Eltern und meine Lehrer finden mich faul. Aber ich bin bestimmt nicht faul! Mein Problem: ich bin ein Computerfreak und habe deshalb fast keine Zeit für meine Hausaufgaben! Ich hoffe später bei einer Computerfirma zu arbeiten. Was kann ich tun?

MICHAEL, 16,
DÜSSELDORF

Ein Computerfreak wie Du bekommt bestimmt einen guten Job. Aber achte auch darauf, Deine Hausaufgaben zu machen.

5 Richtig oder falsch?

Lies die Sätze unten. Sind sie richtig oder falsch?
Beispiel
a   falsch

a   Silke geht gerne aus.
b   Silke hat ihre eigene Modelleisenbahn.
c   Rolf geht gerne in die Natur.
d   Rolfs Vater findet ihn faul.
e   Michael spielt gerne am Computer.
f   Michael macht jeden Abend seine Hausaufgaben.

6 Jetzt bist du dran!

Schreib einen Brief an den Zoffkasten. Die Briefe oben werden dir helfen.
Beispiel

Lieber Zoffkasten!
Ich habe ein Problem …

7 Über mich

Mach eine Präsentation über dich selbst. Kannst du wenigstens zwei Minuten lang sprechen?
Beispiel
Ich wohne am Stadtrand von Leicester …

👤 Du hast die Wahl

1 Unter dem Meer/Eine Stadt auf dem Mars

Wie ist das Leben in der Stadt Atlantis, 20.000 Meter unter dem Meer, **oder** auf dem Mars? Mach eine Beschreibung davon und illustriere sie.

Beispiel

Hier in Atlantis gibt es viele tolle Fische, aber es gibt keine Geschäfte …

2 Partner mit Pfiff?

Stell dir vor, du bist Dracula/ein außerirdisches Wesen. Schreib eine Partneranzeige!

Beispiel

Hi! Ich heiße Zanoo.
Ich wohne in Zarostern
auf dem Planeten
Zanet …

3 Und bei dir?

Beschreib deine Stadt/dein Dorf schriftlich. Wie findest du es dort? Was gibt es dort für Jugendliche? Usw.

Beispiel

Hier in Truro gibt es schöne Einkaufszentren …

4 Die Stadt/Das Dorf der Zukunft

Wie siehst du die Zukunft? Positiv oder negativ? Jetzt leben wir im Jahr 2198 – beschreib deine Stadt/dein Dorf noch mal!

Beispiel

Die Häuser sind sehr schön und modern und es gibt viele tolle Geschäfte …

5 📼 Aussprache

Hör gut zu und wiederhole:

Fragen, richtig, schreiben, Brieffreund, schwarz, Bruder, krank, wirklich, groß, herzlich, drei, regnet, Reihenhaus, verbringe, verrückt, arrogant.

6 📼 Brasilien

Hör dir die zweite Episode der Serie an.

7 📼 Weißt du was?

Wer mag wen? Hör gut zu und bild Paare.

Beispiel

Beate – Omar

Beate	Jürgen
Elvira	Eugen
Renate	Omar
Ludowika	Wilfried
Leni	

Zusammenfassung

Grammatik

Unser(e)/euer (eure)/ihr(e)

Maskulinum	Femininum	Neutrum	Plural
unser Garten	unsere Landschaft	unser Haus	unsere Geschäfte
euer Garten	eure Landschaft	euer Haus	eure Geschäfte
ihr Garten	ihre Landschaft	ihr Haus	ihre Geschäfte

Direkte Objektpronomen

Nominativ	Akkusativ
ich	mich
du	dich
er	ihn
sie	sie
es	es

Jetzt kannst du . . .

über deinen Wohnort sprechen

Unser Haus ist in der Stadtmitte.	Our house is in the town centre.
Unser Dorf liegt auf dem Land.	Our village is in the country.
Hier gibt es viele Fachwerkhäuser.	There are many half-timbered houses here.
Hier gibt es gar nichts für Jugendliche.	There is nothing for young people here.
Hier ist die Landschaft grün und hügelig.	The countryside is green and hilly here.
Unsere Stadt ist langweilig.	Our town is boring.
Ich finde die Leute freundlich.	I find the people friendly.

über andere Länder sprechen und Vergleiche machen

Alles ist größer und besser als zu Hause.	Everything is bigger and better than at home.
Die Straßen sind sauberer.	The streets are cleaner.
In den Geschäften ist alles viel teurer.	Everything is more expensive in the shops.
Hier ist es viel wärmer als zu Hause.	It is warmer here than at home.

über dich und andere Leute sprechen

Er findet sie egoistisch und eingebildet.	He finds her selfish and conceited.
Er findet mich gut gelaunt.	He finds me good-tempered.
Sie findet ihn materialistisch.	She finds him materialistic.
Sie findet mich hilfsbereit.	She finds me helpful.

über deine Hobbys sprechen

Bogen schießen kann ich nicht leiden.	I can't stand archery.
Ich mag nähen nicht.	I don't like sewing.
Mein Hobby ist Kanu fahren.	My hobby is canoeing.
Ich gehe gerne einkaufen.	I like going shopping.
Ich gehe nicht gerne aus.	I don't like going out.

Lesepause

Hier reden Mädchen über Jungen – und Jungen über Mädchen.
Mit welchen von diesen Meinungen bist du einverstanden?

Mädchen über Jungen

Jungen sind viel zurückhaltender als Mädchen und sie denken, sie dürfen ihre Gefühle nicht zeigen.

Ich finde die meisten Jungen so unheimlich machomäßig! Im großen und ganzen sind sie untreuer als Mädchen und viele haben mehrere Freundinnen.

Jungen sind viel eingebildeter als Mädchen, und das finde ich schrecklich!

Jungen flirten mehr als Mädchen. Das gefällt mir überhaupt nicht.

Die Jungen sagen oft ihre Meinung. Sie sind sehr viel selbstbewußter als Mädchen. Das finde ich toll!

Ich finde Jungen viel negativer als Mädchen. Sie beklagen sich immer über etwas ...!

Jungen sind immer gut drauf und machen Witze. Das ist super!

Jungen machen immer schmutzige Witze und denken immer an Sex.

Jungen machen viel Blödsinn in der Klasse und machen nicht immer ihre Hausaufgaben.

Jungen tun einfach alles, um cool zu sein. Zum Beispiel trinken sie viel mehr Alkohol als Mädchen, und das finde ich nicht sehr toll.

Ich bin am liebsten mit Jungen zusammen. Ich finde sie witziger und interessanter als Mädchen.

Die meisten Jungen in meinem Alter (15) finde ich so uncool. Sie benehmen sich wie Zwölfjährige und sammeln Briefmarken oder sind Eisenbahnfans und so weiter.

Jungen über Mädchen

Mädchen sagen oft nicht, was sie meinen. Ich finde, sie sind verschlossener als Jungen.

Mädchen finde ich kindischer als Jungen.

Mädchen sind viel netter und sensibler als Jungen. Ich finde sie sehr sympathisch.

Mädchen sind positiver als Jungen und sind immer gut drauf.

Mädchen gehen immer zu zweit aufs Klo. Das geht mir auf die Nerven — schaffen sie es alleine nicht?

Mädchen sind manchmal launischer als Jungen. Man muß oft bei ihnen aufpassen, daß man nichts Falsches sagt.

Mädchen sind immer unpünktlich, das ärgert mich furchtbar.

Mädchen sind sehr fleißig und sensibel.

Mädchen rauchen mehr Zigaretten als Jungen, und das mag ich überhaupt nicht.

Mädchen sind viel sensibler als Jungen, sie sorgen für kranke Tiere, usw. Das finde ich toll!

Mädchen reden immer über andere, ohne es ihnen ins Gesicht zu sagen. Das finde ich unsympathisch.

3 Wir fahren, fahren, fahren ...

Hier lernst du ...

> Ich fahre mit dem Rad in den Oberharz.

über Freizeitbeschäftigungen zu reden

> Wie fährst du dorthin?

> Mit dem Zug.

über Transportmittel zu reden

> Kann ich Ihnen helfen?

> Ja. Haben Sie einen Fahrplan von der Deutschen Bahn?

um Auskunft und andere Sachen zu bitten

> Was hast du am Wochenende gemacht?

> Ich bin mit dem Zug nach Hannover gefahren.

einen Ausflug zu beschreiben

1 Postkarten ...

Lies die Postkarten von diesen Jugendlichen an ihre Austauschpartner/innen. Wie viele Modalverben kannst du in den Texten finden?

Beispiel

1 ... hier **kann** man ...

1

Lieber Keith!
Ich freue mich schon auf Deine Ankunft. Hier kann man unheimlich viel machen. Wir können in den Oberharz fahren. Es gibt wenige Busse, aber wir könnten dorthin trampen (darfst du?) und dann zu Fuß nach Bad Harzburg gehen. Danach könnten wir mit dem Bus nach Hause kommen.
Dein Hendrik

2

Liebe Alice!
Wenn Du nach Bad Harzburg kommst, möchtest du zum Skifahren gehen? Wir können mit dem Bus nach St. Andreasberg fahren, wo man Skiausrüstung ausleihen kann. Wir können Langlauf machen. Dabei fährt man nicht bergab, sondern durch den Wald, oder sogar bergauf! Im Wald gibt es spezielle ‚Loipen' (d.h. Wege) für Langläufer.
Tschüs
Deine Undine

3

Liebe Bryony!
Nächste Woche kommst Du nach Bad Harzburg. Wir können zur VW-Fabrik in Wolfsburg fahren. Man kann sie als Tourist besuchen. Mein Bruder und sein Freund möchten uns mit dem Motorrad dorthin bringen. Darfst Du auf dem Motorrad mitfahren? Wenn nicht, können wir auch mit dem Zug dorthin fahren.
Bis nächste Woche
Deine Irene

4

Lieber Jack!
Bald ist der Austausch! Wir könnten mit der ‚Harzer Schmalspurbahn' auf den Brocken hinauffahren. Man kann mit dem Zug bis zum Brocken fahren und dort umsteigen. Oder wir könnten mit dem Bus zur Superrutschbahn in St. Andreasberg fahren. Dort kann man mit der Seilbahn hinauffahren und auf einer Rutschbahn hinunterkommen.
Bis dann
Dein Lucas

2 Quiz

Lies die Postkarten links noch mal und beantworte die Fragen unten.
Beispiel
1   Alice und Undine

Wer ...

1   können mit dem Bus nach St. Andreasberg fahren?
2   könnten in den Oberharz trampen?
3   könnten mit dem Zug auf den Brocken hinauffahren?
4   können mit dem Zug zur VW-Fabrik fahren?
5   könnten mit dem Bus nach Hause kommen?

Lerntip

Modalverben

können – to be able to/can		könnten – could	
ich	kann	ich	könn**te**
du	kann**st**	du	könn**test**
er/sie/es	kann	er/sie/es	könn**te**
wir	könn**en**	wir	könn**ten**
ihr	könn**t**	ihr	könn**tet**
Sie	könn**en**	Sie	könn**ten**
sie	könn**en**	sie	könn**ten**

Keith

Alice

Bryony

Jack

3 📼 Und was machen sie?

Hör gut zu. Was machen Keith, Alice, Bryony und Jack wirklich?
Und welche Transportmittel benutzen sie? Wähl die passenden Bilder
für jede Person aus.
Beispiel
Keith: g, ...

4 📼 Noch etwas!

Hör gut zu. Wer macht das, was der Partner/die Partnerin in den
Postkarten vorgeschlagen hat?
Beispiel
Keith – nein

5 Partnerarbeit

Dein/e Austauschpartner/in ist bei dir zu Besuch.
Wohin könnt ihr fahren und **wie** könnt ihr dorthin fahren?
Schlag mindestens fünf Ausflüge vor. Dann tauscht die Rollen.
Beispiel

A Wohin können wir fahren?

B Wir können mit dem Rad nach Chatsworth fahren oder ...

1 🔊 Familiengespräche

Hör gut zu und wähl jeweils a, b, oder c aus.
Beispiel
1   c

1   Keith muß ...
   a   seine Skier mitnehmen.
   b   aufpassen.
   c   einen Helm tragen.

2   Undine muß ...
   a   um Infos von Skiverleih bitten.
   b   mit der Straßenbahn in die Stadtmitte fahren.
   c   zu Hause bleiben.

3   Irene muß ...
   a   eine Fahrradpumpe holen.
   b   eine Straßenbahnkarte kaufen.
   c   Infos über das Wetter haben.

4   Lucas muß ...
   a   Infos über die Busse haben.
   b   mit dem Bus fahren.
   c   zum Verkehrsamt gehen.

Lerntip

Modalverben

müssen

ich	muß
du	muß**t**
er/sie/es	muß
wir	müss**en**
ihr	müß**t**
Sie	müss**en**
sie	müss**en**

2 Guter Rat – oder nicht?

Sieh dir die Sätze unten an. Was paßt zusammen?
Beispiel
1   f

1   Wir fahren mit dem Rad in den Oberharz.
2   Ich brauche eine Broschüre über Berlin.
3   Wir möchten mit dem Zug nach Köln fahren.
4   Meine Schwester geht heute Skifahren.
5   Mein Bruder fährt in die Stadtmitte.
6   Meine Schwestern gehen wandern.

a   Sie muß ihre Skier mitnehmen!
b   Sie müssen Infos über das Wetter haben.
c   Er muß mit der Straßenbahn fahren.
d   Ihr müßt zum Bahnhof gehen.
e   Du mußt zum Verkehrsamt gehen.
f   Ihr müßt einen Helm tragen.

3 Meine einsame Insel

Du bist Redakteur/in einer Zeitung. Dein/e Partner/in verbringt sechs Monate auf einer einsamen Insel und schreibt für die Zeitung einen Artikel darüber. Was muß er/sie mitnehmen? Schreibt beide eine Liste und dann vergleicht die Listen.
Beispiel

A Du mußt viel Papier mitnehmen.

B Ja, richtig. Das steht auf meiner Liste.

4 ⬛ Im Verkehrsamt

Hör dir die vier Dialoge an. Für jede Lücke wähl a, b, c oder d aus den Kästchen aus.
Beispiel
Dialog 1: 1b, 2b, 3d, ...

1	a	eine Straßenbahnkarte?
	b	einen Fahrplan von der Deutschen Bahn?
	c	Infos über das Wetter in den Bergen?
	d	eine Landkarte?

2	a	Zur Okertalsperre.
	b	Zur Harzer Schmalspurbahn.
	c	Nach St. Andreasberg.
	d	Nach Hannover.

3	a	Eine Landkarte vom Naturpark Oberharz.
	b	Hier ist ein Wetterbericht vom Oberharz.
	c	Eine Straßenbahnkarte von Hannover.
	d	Einen Fahrplan Richtung Wernigerode.

4	a	Infos über die Schmalspurbahn?
	b	Infos über die Stadtmitte?
	c	Infos über den Tretbootverleih?
	d	Infos über den Skiverleih?

5	a	eine Schülerermäßigung?
	b	ein Einkaufszentrum?

6	a	Ja. Hier sind noch einige Prospekte.
	b	Ja. Alles steht in der Broschüre.
	c	Leider nicht.

Hauptdialog

A Kann ich Ihnen helfen?

B Haben Sie **1**?

A Ja, sicher. Wohin fahren Sie?

B **2**.

A **3**. Bitte schön. Suchen Sie noch etwas anderes?

B Ja. Haben Sie **4**?

A Mal sehen ... ja. Hier ist eine Broschüre darüber.

B Vielen Dank. Gibt es **5**?

A **6**.

B Vielen Dank.

5 Partnerarbeit

Schreib deinen eigenen Dialog in dein Heft. Dann spiel den Dialog mit einem Partner/einer Partnerin vor. Du könntest ihn auch auf Kassette oder Video aufnehmen.
Beispiel

A Kann ich Ihnen helfen?   **B** Haben Sie eine Broschüre über Skifahren?

Lesepause

KLARO-INTERVIEW: WELCHES TRANSPORTMITTEL BENUTZT IHR?

Klaro-Magazin hat acht Fahrer/innen und Fahrgäste unterwegs interviewt. Warum benutzt man ein bestimmtes Transportmittel? Und was sind seine Vor- und Nachteile?

DER FLUGGAST

Warum fliege ich? Das Flugzeug ist das schnellste und das sicherste Transportmittel! Im Flugzeug braucht man nur eine Stunde für eine Reise, die im Zug fünf Stunden dauert! Flugzeuge verbrauchen zwar viel mehr Treibstoff pro Person als alle anderen Transportmittel, und machen auch viel mehr Lärm. Aber ihre Umweltverschmutzung findet hoch in der Luft statt und deshalb werden die Menschen wenig belästigt.

DIE BAHNREISENDE

Die Bahn ist das umweltfreundlichste Transportmittel. Züge halten bis zu 100 Jahre und verbrauchen in bezug auf die Zahl ihrer Sitzplätze wenig Energie. Außerdem

benötigen die Gleise viel weniger Wartung als Straßen. Ein Zug ist zwar nicht leiser als ein Auto – aber es gibt weniger Züge als Autos. Autos fahren ständig auf den Straßen hin und her! Auf jeden Fall sind Züge sicherer und bequemer als die meisten Transportmittel.

DIE MODERNE AUTOFAHRERIN

Für mich ist mein neues Auto das beste Transportmittel. Es ist fast zu 100% recyclebar, und mit seinem Katalysator verursacht es relativ wenig Umweltverschmutzung. Es ist sehr sparsam und ein volles Auto ist umweltfreundlicher als ein leerer

Bus! Die meisten Autos sind viel zu groß und schwer und deshalb fahre ich ein kleines, sparsames Auto! Für eine Person, die meistens alleine fährt, ist das Auto auch das sicherste Transportmittel.

DER BUSREISENDE

Ich fahre am liebsten mit dem Bus. Busse fahren viel näher als Züge an meinem Haus vorbei und deshalb finde ich sie am praktischsten. Sie sind meistens umweltfreundlicher als Züge. Züge sind nur umweltfreundlich, wenn sie mit Fahrgästen ausgelastet sind, und das sind sie meistens nicht! Busse gehören zu den billigsten Transportmitteln, und im Bus kann man lesen oder arbeiten. In vielen Bussen gibt es heutzutage eine Toilette – oder sogar einen Mikrowellenherd! Für mich ist Busfahren ein richtiges Vergnügen!

DER MOTORRADFAHRER

Meine Mutter meint, mein Motorrad sei gefährlich! Sie möchte mir ein Auto kaufen. Für mich ist das Motorrad aber konkurrenzlos das beste Transportmittel. Es ist viel schneller, leichter, sparsamer und billiger als ein Auto. Mein Motorrad ist auch umweltfreundlich. In den meisten Autos sitzt nur eine einzige Person. Warum fahren diese Leute also nicht Motorrad? Das Motorrad ist ohne Zweifel das Transportmittel der Zukunft – aber wer erkennt das?

DER FUSSGÄNGER

Wenn man die Umwelt schützen will, ist das einzige, wahre ‚Transportmittel', zu Fuß zu gehen! Wenn man zu Fuß geht, fühlt man sich mit der Natur eins. Man riecht Düfte, sieht Sehenswürdigkeiten und hört Geräusche, die man bei allen anderen Transportmitteln verpaßt. Zu Fuß zu gehen beschädigt nicht die Umwelt oder die Gesundheit. Es kostet nichts, verschmutzt nichts und macht keinen Lärm. Es ist wirklich das einzige Transportmittel ohne negative Auswirkungen!

DIE RADFAHRERIN

Ich fahre auf jeden Fall am liebsten mit dem Rad. Auf den Landstraßen, bei Sonnenschein, ist Radfahren das Schönste. Es ist billiger, als mit dem Auto zu fahren, flexibler, als mit dem Zug zu fahren, schneller, als zu Fuß zu gehen – und gesünder, als mit dem Bus zu fahren (außer wenn man in der Stadt 100% reine Dieselabgase einatmen muß …). Radfahren hilft der Umwelt auch. Für mich spielt das aber keine große Rolle – mein Rad bedeutet einfach ‚Freiheit'.

DIE OLDTIMER-AUTOFAHRERIN

Jedes Jahr werden Millionen von neuen Autos gebaut. In Deutschland gibt es fast ein Auto pro Person! Wieso baut man dann noch neue? Um die Umwelt zu schützen, heißt es! Man sagt, neue Autos seien besser als alte für die Umwelt – aber neue Autos zu bauen (und alte Autos zu zerstören) verschmutzt auch die Umwelt! Es ist sicherlich besser, alte Autos so lang wie möglich zu fahren. Und wenn man die Umwelt **wirklich** schützen will, bleibt man am besten zu Hause …

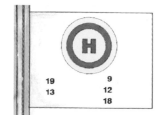

1 🔊 Wo ist die Bushaltestelle?

Hör gut zu. Welches Diagramm paßt zu welchem Dialog?
Und welche Linie braucht jede Person?
Beispiel
Dialog 1: Diagramm a, Buslinien 19 und 13.

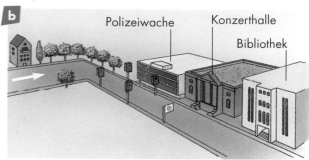

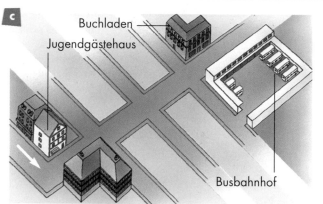

2 Partnerarbeit

Jetzt bild Dialoge mit deinem Partner/deiner Partnerin.
Die Diagramme und die Sätze unten helfen dir dabei.
Beispiel

A Entschuldigen Sie. Wie komme ich am besten zur nächsten Bushaltestelle?

B Sie gehen hier um die Ecke …

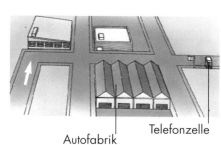

Entschuldigen Sie.	Wie komme ich am besten …	zur Bushaltestelle? zur Straßenbahnhaltestelle? zum Busbahnhof?
Sie gehen …	bis zum Ende dieser Straße. nach links/rechts. hier um die Ecke. am/an der … vorbei. über die Ampel / über zwei Ampeln. über die Brücke.	
Wenn Sie … sehen, sind Sie zu weit gegangen.		
Und nach … , welche Linie ist das?		
Sie müssen (zuerst) mit der Linie … nach … fahren. Die Linie … führt Sie direkt dorthin.		

3 📼 Vorsicht bei der Abfahrt!

Hör gut zu. Trag die Tabelle in dein Heft ein und füll sie aus.

Nach	Abfahrt	Gleis	Ankunft	Umsteigen	Zuschlag	Nr.	←→	Klasse	DM
Berlin	19.00	4	22.00	Hannover	nein	1	←—	2.	DM 60

4 Am Fahrkartenschalter

Jetzt benutz den Hauptdialog und die Wörter unten, um einen Dialog mit deinem Partner/deiner Partnerin zu bilden. Du könntest ihn auch auf Kassette oder Video aufnehmen.

Beispiel

A Wann fährt der nächste Zug nach **Berlin**, bitte?

1 Berlin
Düsseldorf
München (usw.)

2 9.00 Uhr.
10.00 Uhr.
11.00 Uhr (usw.).

3 1.
2.
3 (usw.).

4 Ja.
Nein.

5 Einmal
Zweimal
Dreimal (usw.)

6 einfach
hin und zurück

7 Erster Klasse
Zweiter Klasse

8 DM 20
DM 30
DM 40 (usw.)

Hauptdialog

A Wann fährt der nächste Zug nach **1**, bitte?

B Um **2**.

A Und von welchem Gleis fährt er ab?

B Von Gleis **3**.

A Und wann kommt er in **1** an?

B Um **2**.

A Muß ich umsteigen?

B **4**.

A Muß ich einen Zuschlag bezahlen?

B **4**.

A OK. **5**, **6**, bitte.

B Erster Klasse oder zweiter Klasse?

A **7**, bitte.

B Das macht **8**, bitte.

A Danke schön.

1 Ein katastrophaler Tag in Hannover

Bryony beschreibt ihre Austauscherfahrung. Lies den Text unten.
Dann vervollständige die Sätze mit dem passenden Pronomen.

Beispiel

1 Die erste Straßenbahn hat **sie** nicht mitgenommen.

Ich bin mit meiner Austauschpartnerin Irene nach Hannover gefahren. ‚Ich kann euch zu meinem Büro mitnehmen,' hat Irenes Mutter gesagt. Sie hat uns aber um halb sieben dort abgesetzt! Wir mußten dann mit der Straßenbahn in die Stadtmitte fahren. Die erste Straßenbahn (um halb neun!) war überfüllt und hat uns nicht mitgenommen. Wir sind endlich um halb zehn in der Stadtmitte angekommen. Irene hatte aber ihr Portemonnaie in der Straßenbahn verloren. Wir sind also sofort zur Polizeiwache gegangen. Die Polizei hat uns zwei Stunden lang im Wartesaal warten lassen. Und man hat das Portemonnaie nicht gefunden. Um Mittag sind wir aus der Polizeiwache gekommen – aber Irenes Mutter ist um dreizehn Uhr mit der Arbeit fertig. Also sind wir mit der Straßenbahn zu ihrem Büro gefahren, und sie hat uns mit dem Auto nach Hause gefahren.

Bryony Roach

Lerntip

Die Pronomen

Nominativ	Akkusativ
ich	mich
du	dich
er	ihn
sie	sie
es	es
wir	uns
ihr	euch
Sie	Sie
sie	sie

1 Die erste Straßenbahn hat ____ nicht mitgenommen.
2 ‚Ich kann ____ zu meinem Büro mitnehmen,' hat Irenes Mutter gesagt.
3 ‚Irenes Mutter hat ___ um halb sieben abgesetzt,' hat Bryony gesagt.
4 Die Polizei hat ___ zwei Stunden lang im Wartesaal warten lassen.
5 Irenes Mutter hat ___ mit dem Auto nach Hause gefahren.

2 Ein Tag in (und aus) einem Tretboot!

Keith beschreibt seine Austauscherfahrung. Lies den Text unten.
Dann lies die Sätze. Sind sie richtig oder falsch?

Beispiel

1 falsch

Wir haben Hendriks Mutter gebeten, uns zur Okertalsperre zu fahren. Sie hat jedoch gesagt, ‚Es tut mir leid, ich kann euch nicht absetzen.' Deshalb sind wir mit dem Rad dorthin gefahren, und es hat angefangen zu regnen. Endlich sind wir an der Okertalsperre angekommen und wir haben uns Tretboote ausgeliehen. Wir sind jedoch zusammengestoßen und beide aus den Tretbooten herausgefallen! Der Tretbootvermieter hat uns schnell aus dem Wasser gezogen. ‚Setzt euch hierhin. Ich suche trockene Kleider für euch,' hat er gesagt. Wir sind dann mit dem Rad nach Hause gefahren und es hat wieder geregnet! Wir sind um sechs Uhr nach Hause gekommen – zum dritten Mal durchnäßt!

Keith Wyatt

1 Keith und Hendrik sind mit dem Auto zur Okertalsperre gefahren.
2 Das Wetter war sehr schön – heiß und trocken.
3 Keith und Hendrik haben sich Tretboote ausgeliehen.
4 Keith ist ins Wasser gefallen, aber Hendrik ist im Tretboot geblieben.
5 Der Tretbootvermieter hat sie nicht aus dem Wasser gezogen.
6 Der Tretbootvermieter hat trockene Kleider für sie gesucht.

3 ▭ Zwei Geschichten

Alice und Undine, Jack und Lucas sprechen über ihre Ausflüge.
Hör gut zu. Bring jedesmal die Sätze unten in die richtige Reihenfolge,
um eine Zusammenfassung zu machen.

Beispiel

Alice und Undine sind mit dem Bus nach St. Andreasberg gefahren ...

ALICE UND UNDINE

Beim Langlauf ist Alice nur 50 Meter gefahren.

Nach drei Stunden sind sie mit dem Bus nach Hause gefahren.

Undine hat mit ihren Skiern eine Fensterscheibe im Bus zerbrochen.

Der Bus hat sie ohne Probleme in St. Andreasberg abgesetzt.

Alice und Undine sind mit dem Bus nach St. Andreasberg gefahren.

JACK UND LUCAS

Im Zug hat der Schaffner die Jungen geweckt.

Auf dem Brocken hat der Rauch vom Zug sie schmutzig gemacht.

Lucas und Jack sind mit dem Zug zum Brocken gefahren.

Auf dem Gipfel war der Wind zu kalt für sie.

Sie sind im Zug eingeschlafen.

4 Ein Picknick

Sieh dir die Symbole unten an.
Kannst du den Ausflug beschreiben? Schreib ihn auf.

Beispiel

Letzte Woche haben wir ein Picknick gemacht. Wir sind um acht Uhr aus dem Haus gegangen ...

5 Präsentation

Mach eine Präsentation. Beschreib einen Ausflug, den du neulich gemacht hast.

- Wohin bist du gefahren?
- Wie bist du dorthin gefahren?
- Wie war das Wetter?
- Was hast du dort gemacht?
- Wann bist du zurückgekommen?

ⓘ Du hast die Wahl

1 Ein besonderer Besuch!

Eine berühmte Persönlichkeit ist bei dir zu Besuch.
Was könnt ihr machen? Schlag Tätigkeiten vor!
Beispiel
Wir können Skifahren gehen …

2 Schatzsuche!

Zeichne eine Landkarte von einer Schatzinsel und
beschreib den Weg zum Schatz. (Zeichne die richtige
Lage des Schatzes auf der Rückseite des Blattes ein!)
Dann kleb sie an die Wand. Wer kann am meisten
Schätze finden?
Beispiel

3 ▭ Brasilien

Hör dir die dritte Episode der Serie an.

4 ▭ Aussprache

Hör gut zu und wiederhole:

> Spielen, Sport, Gespräch, Sprechblase, spät, Spaß,
> Student, steil, Stadtmitte, Haltestelle, stehen,
> umsteigen, Stunde, Strömen.

5 ▭ Zungenbrecher

Hör gut zu und wiederhole:

> Sport treiben und Schach spielen macht Spaß, aber
> späte Gespräche sind anstrengend.
>
> In einer Stunde steigen die Studenten in Stuttgart
> um, aber die Angestellten steigen bestimmt am
> Stadtrand oder an der Skistation aus.

6 ▭ Kerzenmachers Detektivagentur

Hör gut zu und ordne die Bilder ein.
Beispiel
4, …

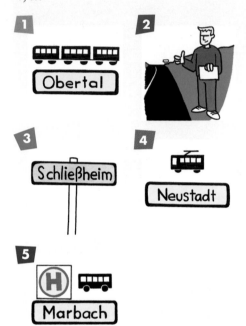

Zusammenfassung

Grammatik

Modalverben

können – can		könnten – could		müssen – must/to have to	
ich	kann	ich	kön**te**	ich	muß
du	kann**st**	du	könn**test**	du	muß**t**
er/sie/es	kann	er/sie/es	könn**te**	er/sie/es	muß
wir	könn**en**	wir	könn**ten**	wir	müss**en**
ihr	könn**t**	ihr	könn**tet**	ihr	müß**t**
Sie	könn**en**	Sie	könn**ten**	Sie	müss**en**
sie	könn**en**	sie	könn**ten**	sie	müss**en**

Die Pronomen

Nominativ	Akkusativ
ich	mich
du	dich
er	ihn
sie	sie
es	es
wir	uns
ihr	euch
Sie	Sie
sie	sie

Jetzt kannst du ...

etwas vorschlagen

Wir können Fußball spielen.	We can play football.
Du kannst schwimmen gehen.	You can go swimming.
Wir könnten Tennis spielen.	We could play tennis.
Sie könnte in die Stadtmitte gehen.	She could go into the town centre.

über Freizeitbeschäftigungen reden

Ich gehe Skifahren.	I'm going ski-ing.
Ich fahre mit dem Rad.	I'm going cycling.

über Transportmittel reden

mit dem Motorrad	by motorbike
mit dem Auto	by car
mit der Straßenbahn	by tram

um Auskunft und andere Sachen bitten

Haben Sie eine Straßenbahnkarte?	Do you have a tram map?
Haben Sie Infos über Wanderwege?	Do you have information about hiking trails?
Wann fährt der nächste Zug nach ... ?	When is the next train to ... ?

einen Ausflug beschreiben

Am Wochenende sind wir nach ... gefahren.	At the weekend we went to ...
Wir haben ein Picknick gemacht.	We had a picnic.

4 Geld regiert die Welt?

Hier lernst du ...

Wieviel Taschengeld geben dir deine Eltern?

Meine Eltern geben mir 25 Mark die Woche.

über Taschengeld und Nebenjobs zu reden

Wofür gibst du dein Geld aus?

Ich spare für ein neues Rad.

zu sagen, wofür du Geld sparst und ausgibst

Kann ich hier Geld wechseln?

Ja sicher. Was für Geld wollen Sie wechseln?

Geld zu wechseln und Preise zu vergleichen

Was würdest du machen, wenn du im Lotto gewinnen würdest?

Ich würde das ganze Geld an Hilfsorganisationen geben.

zu sagen, was du machen würdest, wenn du viel Geld hättest

1 KLARO-Taschengeldumfrage

Hör gut zu. Wieviel Taschengeld bekommen sie?
Beispiel
1 Karsten – 30 Mark

Claudia und ihre Schwester   Karsten   Petra   Christina   Harald und sein Bruder

DM 30   DM 0   DM 20   DM 50   DM 100

Lerntip

Indirekte Objektpronomen

Nominativ	Dativ
ich	mir
du	dir
er	ihm
sie	ihr
es	ihm
wir	uns
ihr	euch
Sie	Ihnen
sie	ihnen

2 Noch etwas!

Hör noch mal zu und stell diese Sätze in die richtige Reihenfolge.
Beispiel
b, ...

a Fast die Hälfte bleibt uns gewöhnlich übrig.
b Und wieviel bleibt dir am Ende der Woche übrig?
c Geben dir deine Eltern viel Taschengeld?
d Es bleiben uns gewöhnlich 20 Mark übrig.
e Meine Mutter gibt mir gar kein Taschengeld!

3 Partnerarbeit

Wähl eine Person oder ein Paar von unten aus. Sag, wieviel Taschengeld deine/eure Eltern dir/euch geben. Dein/e Partner/in sagt, wieviel Geld übrig bleibt. Dann tauscht die Rollen.

Beispiel

 A **Meine** Eltern geben **mir** 70 Mark die Woche.

B Am Ende der Woche bleibt **dir** 50 Mark übrig.

 A **Unsere** Eltern geben **uns** 50 Mark die Woche.

B Am Ende der Woche bleibt **euch** 20 Mark übrig.

Markus   **DM 40** ➡ **DM 20**

Christine   **DM 60** ➡ **DM 0**

Eva und Helmut   **DM 70** ➡ **DM 30**

Mein Bruder, Jörg, bekommt 20 Mark die Woche. Das reicht ihm aber nicht, weil er so verschwenderisch ist! Meine Schwester, Bettina, ist auch verschwenderisch. Meine Eltern geben ihr oft mehr als 30 Mark die Woche, aber sogar das reicht ihr nicht! Ich habe auch zwei Cousins, Rainer und Gregor, und mein Onkel gibt ihnen mehr als 100 Mark die Woche. Das reicht ihnen aber nicht. Sie sind echte Computerfreaks und kaufen allerlei teuere Dinge für ihren Computer.
Und ich? Meine Mutter gibt mir gewöhnlich 20 Mark die Woche und das reicht mir, weil ich keine großen Ansprüche habe und eigentlich nicht viele Dinge brauche.

Michaela Jansen, 15, Bamberg

4 Es reicht ihr, es reicht ihm nicht ...

Lies den Artikel links und die Sätze unten. Sind sie richtig oder falsch? Schreib die falschen Sätze richtig auf.

Beispiel

1   falsch

1   Jörgs Taschengeld reicht ihm.
2   Bettinas Eltern geben ihr oft mehr als 30 Mark.
3   Bettinas Taschengeld reicht ihr nicht.
4   Rainers und Gregors Vater gibt ihnen mehr als 100 Mark die Woche.
5   Rainers und Gregors Taschengeld reicht ihnen.
6   Michaelas Vater gibt ihr gewöhnlich 30 Mark die Woche.

5 🔲 Es reicht dir nicht?

Fünf Jugendliche erklären, ob ihr Taschengeld ihnen reicht.
Hör gut zu und stell die Satzteile zusammen.

Beispiel

1   e

1	Ulrikes Taschengeld reicht ihr nicht, ...	a	weil er seine eigenen Klamotten kauft.
2	Udos Taschengeld reicht ihm nicht, ...	b	weil sie nicht viele Dinge braucht.
3	Katjas und Ulis Taschengeld reicht ihnen, ...	c	weil ihre Eltern die meisten Dinge für sie kaufen.
4	Biancas Taschengeld reicht ihr, ...	d	weil in ihrem Dorf nichts los ist.
5	Rosis und Gabis Taschengeld reicht ihnen, ...	e	weil sie fast erwachsen ist und viele Dinge braucht.

Lerntip

Weil

..., **weil** ich nicht viel Geld **brauche**.
..., **weil** er viele Interessen **hat**.

1 Mein toller Nebenjob ...

Vier Jugendliche beschreiben ihre Nebenjobs.
Lies die Texte unten und dann stell die Satzteile zusammen.
Beispiel
1   c

Ich arbeite jedes Wochenende als Kellnerin in einem kleinen Restaurant in der Stadtmitte von Düsseldorf. Ich finde es dort toll und ich arbeite, um Leute kennenzulernen und Trinkgeld zu bekommen.
Martina, 15, Düsseldorf

Mein Vater ist Bauer und deshalb habe ich natürlich einen Nebenjob. Aber ich verdiene dabei überhaupt kein Geld! Jeden Morgen stehe ich um halb fünf auf, um die Tiere zu füttern. Danach gehe ich auf die Wiese, um die Rinder zurückzubringen.
Jörg, 15, Barossatal, Australien

Ich bekomme 30 Mark die Woche Taschengeld, aber ich brauche mehr als das, um CDs und Software zu kaufen. Deshalb stehe ich jeden Morgen um fünf Uhr auf, um Zeitungen auszutragen.
Bastian, 14, Weimar

Ich arbeite jedes Wochenende in einem großen Supermarkt am Stadtrand von Dresden. Ich arbeite meistens an der Kasse, aber manchmal gehe ich auch ins Lager, um Waren einzusortieren.
Britta, 17, Dresden

1	Martina arbeitet in einem Restaurant, ...	a	um die Rinder zurückzubringen.
2	Jörg steht um halb fünf auf, ...	b	um Waren einzusortieren.
3	Jörg geht auf die Wiese, ...	c	um Leute kennenzulernen und Trinkgeld zu bekommen.
4	Bastian braucht mehr als 30 Mark die Woche, ...	d	um die Tiere zu füttern.
5	Britta geht manchmal ins Lager, ...	e	um CDs und Software zu kaufen.

Britta
Martina
Jörg
Bastian

2 ▭ Noch etwas!

Die Jugendlichen reden weiter über ihre Nebenjobs.
Hör gut zu und füll die Lücken mit dem passenden Namen aus.
Beispiel
1   Martina

1 ... bleibt manchmal länger auf der Arbeit, um abzuspülen.

2 ... geht manchmal auf den Parkplatz, um die Einkaufswagen einzusammeln.

3 ... geht mittwochs früh nach Hause, um seine Hausaufgaben zu machen.

4 ... muß um halb drei zu Hause sein, um den Stall auszumisten.

3 Partnerarbeit

Du sagst einen Satz über eine der Personen oben. Dein/e Partner/in muß raten, wer es ist. Dann tauscht die Rollen. Wer macht es schneller?
Beispiel

A Er steht jeden Morgen um fünf Uhr auf, um Zeitungen auszutragen.

B Bastian.

Lerntip

Um ... zu
Ich brauche Geld, **um** CDs **zu** kaufen.
Er steht früh auf, **um** Zeitungen aus**zu**tragen.

4 Was machst du, um Geld zu verdienen?

KLARO-Umfrage. Lies die Antworten unten.

Geld brauche, trage ich Zeitungen aus und arbeite fast das ganze Wochenende in einem Supermarkt.
WILLI

Ich habe zwei Nebenjobs! Ich arbeite jeden Abend in einem Zeitungskiosk, und am Wochenende miste ich den Stall auf einem Bauernhof aus. Meine Mutter fährt mich mit dem Auto dorthin.
SABRINA

Ich bekomme 20 Mark die Woche Taschengeld. Das reicht mir nicht. Deshalb arbeite ich am Wochenende in einem Friseursalon.
JULLA

Ich habe zwei Nebenjobs, weil ich nicht viel Taschengeld bekomme. Ich babysitte für die Freunde meiner Mutter und ich wasche Autos an der Tankstelle am Ende unserer Straße.
KARL

Ich habe zwei Nebenjobs. Ich bekomme unheimlich wenig Taschengeld, und weil ich viel

Meine Eltern geben mir 30 Mark die Woche und das reicht mir nicht, weil ich für ein Mofa spare. Deshalb arbeite ich Samstag abends in einem Restaurant.
JAKOB

5 Was ist richtig?

Beantworte die Fragen unten mit a, b oder c.
Beispiel
1   b

1   Karl   a) arbeitet in einem Supermarkt   b) babysittet und wäscht Autos   c) trägt Zeitungen aus.
2   Willi   a) trägt Zeitungen aus   b) arbeitet an einer Tankstelle   c) babysittet.
3   Sabrina   a) wäscht Autos   b) arbeitet in einem Zeitungskiosk   c) hat keinen Nebenjob.
4   Jakob   a) arbeitet Samstag abends in einem Supermarkt   b) kann keinen Nebenjob finden   c) arbeitet in einem Restaurant.
5   Julla   a) arbeitet in einem Zeitungskiosk   b) arbeitet in einem Friseursalon   c) wäscht Autos.

6 Umfrage

Was macht man, um Geld zu verdienen?
Mach eine Umfrage in der Klasse.
Dann könntest du die Ergebnisse in ein Blockdiagramm eintragen.
Beispiel

A Was machst du, um Geld zu bekommen?

B Ich wasche Autos.

Lesepause

KANNST DU MIT GELD UMGEHEN?

Lies unseren Geld-Persönlichkeitstest und wähl für jede Frage ▲, ● oder ■.
Dann sieh dir die Lösung an, um herauszufinden, ob du mit Geld umgehen kannst.

1   Wenn du kein Geld mehr hast, was machst du?
● Ich kaufe fast nichts und spare, bis ich wieder etwas Geld habe.
▲ Ich frage meine Eltern, ob sie mir noch etwas Taschengeld geben könnten.
■ Ich suche einen Nebenjob, so daß ich Dinge kaufen kann, ohne meine Eltern
   um Geld zu bitten.

2   Was machst du am liebsten mit deinem Geld?
▲ Ich kaufe einfach alles, was ich will.
● Ich spare mein ganzes Geld und gebe es nur aus, wenn ich es unbedingt muß.
■ Ich finde es am besten, wenn ich ein Schnäppchen mache.

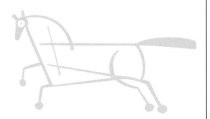

3   Wie oft kaufst du Dinge, die ganz und gar nutzlos sind — oder die du gar
    nicht brauchst?
● Nie. Ich bin sehr vernünftig mit meinem Geld und kaufe nur Dinge,
   die ich wirklich brauche.
■ Manchmal. Ich kaufe meistens alltägliche Sachen, die ich unbedingt
   brauche. Manchmal gönne ich mir etwas ganz Besonderes.
▲ Die ganze Zeit. Wenn ich etwas sehe, das ich gerne hätte, kaufe ich es
   immer sofort!

4   Wie ist gewöhnlich der Zustand deines Geldbeutels?
● Er ist aus ‚Zwiebelleder'. Immer wenn ich Geld ausgeben muß, kommen mir
   die Tränen in die Augen!
■ Es gibt immer Geld — aber nie viel! Ich gebe gewöhnlich bis zu
   60% meines Geldes aus.
▲ Am Ende der Woche habe ich gewöhnlich fast kein Geld mehr übrig.

5   Wenn du erwachsen bist, kriegst du einen richtigen Job und verdienst Geld.
    Was meinst du dazu?
■ Ich kann mir mehr kaufen, aber ich möchte auch jede Woche etwas Geld
   sparen.
▲ Fantastisch! Jetzt kann ich mir fast alles kaufen, was ich will!
● Ich kann mein eigenes Bankkonto eröffnen und viel Geld sparen.
   Eines Tages kaufe ich mir vielleicht ein Haus.

6   Mit welcher dieser Meinungen bist du am ehesten einverstanden?
▲ Das Leben ist zu kurz, um Geld zu sparen! Wenn ich Geld bekomme, gebe
   ich es am liebsten sofort aus!
● Wenn man kein Geld spart, hat man nichts auf dem Bankkonto für Notfälle.
   Ich möchte soviel Geld wie möglich haben.
■ Ich spare mein Geld ziemlich gerne — aber wenn ich zum Beispiel ein neues
   Rad kaufen will, dann hebe ich das Geld vom Bankkonto ab, ohne darüber
   nachzudenken.

LÖSUNG

Du hast am öftesten ● gewählt: Du hast ständig deine Zukunft im Auge. Vielleicht denkst du schon an dein Haus und deine Familie. Wenn du Geld ausgibst, überlegst du immer vorher, ob es sich lohnt.

Du hast am öftesten ▲ gewählt: Wieso hat man Geld, wenn nicht um es auszugeben? Du gibst jeden Pfennig aus, den du bekommst, und kaufst immer alles, was du willst. Du sparst einfach nichts.

Du hast am öftesten ■ gewählt: Du gibst nicht dein ganzes Geld aus, aber du läßt auch nicht alles auf dem Bankkonto liegen! Du kaufst ein bißchen, du sparst ein bißchen — vielleicht hast du das gesündeste Verhältnis zum Geld!

Ein garantiertes Lottogewinnsystem?

WOLLTEST DU SCHON IMMER, GARANTIERT GELD BEIM LOTTOSPIELEN GEWINNEN? EINE FIRMA IN BERLIN HAT DIE PERFEKTE METHODE GEFUNDEN. WIE DAS GEHT? WIR SIND SICHER, DU BIST GESPANNT WIE EIN REGENSCHIRM UND MÖCHTEST ES SO SCHNELL WIE MÖGLICH HERAUSFINDEN. ALSO, LIES WEITER UND BEFOLGE DIESE EINFACHEN REGELN …

1 Wie viele Tippscheine möchtest du? Wähl eine Anzahl und dann rechne aus wieviel die Tippscheine kosten. Schreib den Betrag sorgfältig auf.

2 Wähl die Zahlen für jeden Tippschein und schreib sie auf. Dann paß auf, daß du die Liste nicht verlierst — nur auf diese Weise kannst du wissen, ob dieses System gut funktioniert oder nicht.

3 Sieh dir die Lottosendung gut an. Haben deine Zahlen gewonnen? Mach Notizen. Wenn die Zahlen gewonnen haben, schreib auf, wieviel Geld du gewonnen hättest.

Jede Woche kannst du dann eine Gesamtsumme ausrechnen.

4 Am Ende des Jahres sieh dir die Liste deiner Zahlen und deiner Gewinne an. Wieviel Geld hättest du gewonnen, wenn du die Tippscheine tatsächlich gekauft hättest? (Achtung! Es ist sehr wichtig, daß du wirklich keine Tippscheine gekauft hast!)

5 Jetzt rechne aus, wieviel Geld du gespart hast, weil du die Tippscheine nicht gekauft hast. (Vielleicht hast du das Geld sogar auf ein Sparbuch getan. Wenn ja, hast du auch noch Zinsen bekommen.) Diese Geldsumme ist sicherlich größer, als was dir übrigbleiben würde, wenn du die Tippscheine gekauft und sogar etwas gewonnen hättest!

Jutta

Max

Anne

Erich

1 ▣ Was kaufst du?

Wofür gibt jede Person Geld aus? Und wofür gibt er/sie **kein** Geld aus?
Hör gut zu und mach zwei Listen.
Beispiel

	Geld für …	kein Geld für …
Jutta	a, …	f, …

2 Noch etwas!

Sieh dir deine Notizen an und lies den Text unten. Wer hat am meisten
mit Udo gemeinsam?

Ich interessiere mich gar nicht für Klamotten und deshalb gebe
ich fast kein Geld dafür aus. Aber ich interessiere mich sehr
für Musik, und ich gebe viel Geld für CDs und Kassetten aus.
Lesen interessiert mich auch, und ich gebe ganz viel Geld für
Bücher aus – besonders Krimis und Bücher über Geschichte.
Ich mache eine Diät und deshalb gebe ich fast kein
Geld für Bonbons aus.

Udo

3 Das ABC-Spiel

Arbeitet zu viert. Die erste Gruppe gibt Geld für **A**utos aus, aber kein Geld
für **B**ücher. Die nächste Gruppe gibt Geld für **C**Ds aus, aber kein Geld für
die **D**isco … und so weiter. Welche Gruppe bleibt am längsten dran?
Beispiel

Gruppe 1   Wir geben Geld für **A**utos aus, aber kein Geld für **B**ücher.

Gruppe 2   Wir geben Geld für **C**Ds aus, aber kein Geld für die **D**isco …

4 Jetzt bist du dran!

Wofür gibst du dein Geld aus? Wofür gibst du kein Geld aus?
Schreib zwei Listen. Dann mach Interviews in der Klasse.
Findest du jemanden mit denselben Antworten wie du?
Beispiel

Geld für …
Zeitschriften
Klamotten …

Kein Geld für…
Bonbons,
CDs …

5 📼 Sparschwein oder Geldverschwender?

Jugendliche reden über das Geldausgeben und Sparen.
Hör gut zu und lies die Sätze unten. Sind sie richtig oder falsch?
Beispiel
1 falsch

Corinna, 15, Flensburg

Torben, 14, Frankfurt an der Oder

Evelin, 14, Luzern, die Schweiz

Achlehm, 15, Duisburg

Volker, 13, Freiburg im Breisgau

Michaela, 16, Trent, Südtirol

1 Corinna spart viel Geld und gibt nur Geld für alltägliche Dinge aus.
2 Torben gibt sein Geld für CDs aus, aber er spart auch ein bißchen.
3 Evelin spart den größeren Teil ihres Gelds.
4 Achlehm findet es besser, für ein neues Rad zu sparen, als Bonbons zu kaufen.
5 Volker gibt sein Geld meistens für alles aus, was er will. Er spart nichts.
6 Michaela gibt viel Geld für Make-up und Klamotten aus und spart ihr Geld überhaupt nicht.

6 📼 Noch etwas!

Was machen sie mit ihrem Geld – und warum? Hör noch mal zu
und stell die Satzteile zusammen. Dann trag die Sätze in dein Heft ein.
Beispiel
1 Corinna spart nicht, weil sie null Bock auf Sparen hat.

1 Corinna spart nicht, …
2 Michaela spart nicht, …
3 Torben spart nicht, …
4 Volker spart nicht, …
5 Achlehm kauft keine Bonbons, …
6 Evelin gibt sehr wenig Geld aus, …

a weil sie ein neues Rad kaufen möchte.
b weil er morgen tot sein könnte!
c weil sie eines Tages reich sein möchte.
d weil er in der Gegenwart lebt!
e weil sie noch jung ist.
f weil sie null Bock auf Sparen hat.

geldgierig vernünftig
langweilig doof
verschwenderisch sparsam
gemein

7 Und wie findest du sie?

Wie findest du jede Person oben? Und warum?
Bild Sätze, um sie zu beschreiben. Die Wörter links helfen dir dabei.
Beispiel
Ich finde … vernünftig, **weil** er/sie Geld spart.

1 💾 Wie ist der Kurs?

Sieh dir die Fotos an und hör gut zu.

2 💾 Geizhals?

Thomas fährt nach England in Urlaub und muß Geld wechseln. Wie ist jedesmal der Kurs? Hör gut zu und wähl eine Sprechblase für jeden Dialog.

Beispiel

Dialog 1: DM 1 = 45p

3 💾 Noch etwas!

Hör noch mal zu. Wo wird Thomas sein Geld wechseln?

Nepp-Bank   Geiz-Bank   Sparnix-Bank   Wucher-Bank

4 💾 Dialog

Hör dir die vier Dialoge an und wähl für jede Nummer entweder a, b, c oder d aus den Kästchen links aus.

Beispiel

Dialog 1: 1a ...

1 a Österreichische Schilling
b Französische Franc
c Italienische Lire
d Schweizer Franken

2 a 3 Franc
b 1000 Lire
c 1,5 Franken
d 5 Schilling

3 a 150 Franken
b 500 Schilling
c 300 Franc
d 100.000 Lire

4 a 5 Mark Gebühr
b 10 Mark Gebühr
c Keine Gebühr
d 10 Prozent Gebühr

5 a 90.000 Lire
b 285 Franc
c 135 Franken
d 500 Schilling

A Guten Tag. Kann ich Ihnen helfen?

B Ja. Ich möchte DM 100 in **1** wechseln.

A Ja. Das geht.

B Wie ist der Kurs?

A Für eine Mark bekommen Sie **2**. Also insgesamt **3**.

B Und wieviel Wechselgebühr muß ich bezahlen?

A Bei uns bezahlen Sie **4**. Also bekommen Sie netto **5**.

5 Partnerarbeit

Arbeit mit einem Partner/einer Partnerin, um deinen eigenen Dialog zu machen.

Beispiel

A Guten Tag. Kann ich Ihnen helfen?

B Ja. Ich möchte DM 50 in Pfund wechseln.

6  Ein Lottogewinn!

‚Was würdest du machen, wenn du im Lotto gewinnen würdest?'
Diese Frage haben wir Jugendlichen in Deutschland gestellt.
Hör gut zu und lies die Sätze unten. Wie antwortet jede Person?

Beispiel

Moktar – c

| Moktar | Petra | Michael |

| Johanna & Sieglinde | Bastian | Olga |

a   … würde sich ein Oldtimer-Auto kaufen.
b   … würde das ganze Geld an Hilfsorganisationen geben.
c   … würde nie im Lotto gewinnen, weil er kein Lotto spielt!
d   … würden eine Weltreise machen.
e   … würde nach Amerika ziehen und dort leben.
f   … würde die Hälfte des Geldes seiner Mutter geben und den Rest sparen.

New York   Oldtimer–Auto

Lerntip

Würden

ich	würde
du	würdest
er/sie/es	würde
wir	würden
ihr	würdet
Sie	würden
sie	würden

7 Jetzt bist du dran!

Stell dir vor, du hast im Lotto gewonnen. Was würdest du mit dem Geld machen? Schreib einen kleinen Aufsatz darüber und illustriere ihn.

Beispiel

Ich würde mir einen Ferrari kaufen …

Du könntest deinen Aufsatz der Klasse vorlesen. Welchen Aufsatz findet die Klasse am interessantesten?

Du hast die Wahl

1 Taschengeld damals

Stell dir vor, es ist 1766, oder 1824, oder … ? Wer bist du? Wieviel Taschengeld bekommst du? Reicht es dir? Warum? Was machst du damit?

Beispiel

Napoléon, 1766: Ich bekomme 0,2 Franc pro Jahr. Das reicht mir, weil es so unheimlich viel Geld ist. Ich gebe es meistens für Klamotten aus …

2 Der Folgenkreis

Kannst du einen ‚Folgenkreis' erfinden? Du mußt ihn mit einem ‚Warum-Satz' beginnen, und mit demselben Satz beenden. Wie viele Sätze kannst du in den Kreis einbauen?

Beispiel

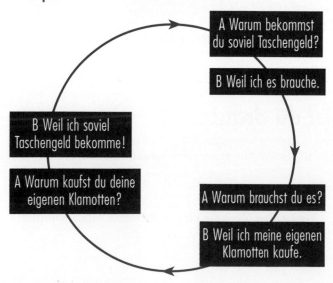

A Warum bekommst du soviel Taschengeld?

B Weil ich es brauche.

A Warum brauchst du es?

B Weil ich meine eigenen Klamotten kaufe.

A Warum kaufst du deine eigenen Klamotten?

B Weil ich soviel Taschengeld bekomme!

3 Das Geld

Ist Geld wirklich ‚die Wurzel allen Übels'? Was für eine Einstellung hast du dazu? Schreib deine eigene Graffitiwand.

Beispiel

Lottos sind doch Unsinn! Ich möchte Millionärin sein! Du auch?

4 🔲 Brasilien

Hör dir die vierte Episode der Serie an.

5 🔲 Großes Gewinnspiel!

Heute zu gewinnen – DM 100.000. Hör gut zu. Was würden die Finalisten/Finalistinnen machen, wenn sie gewinnen würden? Und wer gewinnt?

Beispiel

Jakob – a

Jakob   Max   Dagmar

Zusammenfassung

Grammatik

Indirekte Objektpronomen	
Nominativ	**Dativ**
ich	mir
du	dir
er	ihm
sie	ihr
es	ihm
wir	uns
ihr	euch
Sie	Ihnen
sie	ihnen

Weil

Warum reicht dir dein Taschengeld?
Weil ich mein ganzes Geld **spare**.

Um ... zu

Warum arbeitest du?
Um Geld **zu** verdienen.

Würden

Ich **würde** mir einen Cadillac kaufen.
Wir **würden** nach Amerika fahren.

Jetzt kannst du . . .

über Taschengeld und Nebenjobs reden

Wieviel Taschengeld geben dir deine Eltern?	How much pocket money do your parents give you?
Meine Eltern geben mir 10 Mark die Woche.	My parents give me 10 Marks per week.
Reicht dir dein Taschengeld?	Is your pocket money enough?
Ja. Mein Taschengeld reicht mir.	Yes. My pocket money is enough.
Was machst du, um Geld zu verdienen?	What do you do to earn money?
Ich arbeite an einer Tankstelle.	I work at a petrol station.

sagen, wofür du Geld sparst und ausgibst

Wofür gibst du dein Geld aus?	What do you spend your money on?
Ich gebe viel Geld für Klamotten aus.	I spend a lot of money on clothes.
Ich spare für einen Computer.	I am saving for a computer.

Geld wechseln und Preise vergleichen

Kann ich hier Geld wechseln?	Can I change money here?
Was für Geld wollen Sie wechseln?	What sort of money do you want to change?
Wie ist der Kurs?	What is the exchange rate?
Wieviel Wechselgebühr muß ich bezahlen?	How much commission must I pay?

sagen, was du machen würdest, wenn du viel Geld hättest

Ich würde das Geld an Hilfsorganisationen geben.	I would give the money to charities.
Ich würde nach Amerika ziehen und dort leben.	I would move to America and live there.

Lesepause

KLARO-Magazin hat junge Leute auf der Straße gefragt: Was würdest du machen, wenn du König/in von Deutschland wärst. Lies ihre Antworten. Mit wem bist du einverstanden? Findest du einige Ideen doof? Was würdest du selber machen?

WENN ICH KÖNIG/IN VON DEUTSCHLAND WÄR'...

,... würde ich dafür sorgen, daß die Menschen offener miteinander leben und daß die Gesellschaft nicht so geteilt ist. Ich würde mich für mehr Gleichheit einsetzen. Menschen, die anders sind, würde ich besser in die Gesellschaft integrieren. Zum Beispiel Behinderte und natürlich auch Ausländer.'

IRA, 17 JAHRE

,... politisch habe ich keine Ahnung. Aber in der Schule würde ich vielleicht jüngere Lehrer einsetzen. Erstmal würde ich alle alten Lehrer rausschmeißen! Die Lehrmethoden sind nämlich alle ein bißchen überholt.'

OLIVER, 18 JAHRE

,... würde ich mich auf jeden Fall für mehr Frieden in der Welt einsetzen. Ich würde mich mit allen Konfliktparteien an einen Tisch setzen, mit ihnen diskutieren und versuchen für alle eine akzeptable Lösung zu finden.'

KONRAD, 18 JAHRE

,... auf jeden Fall würde ich einiges machen, was mich näher an schöne Frauen heranbringt! Das ist ganz sicher. Irgendwie muß man das ja ausnutzen, daß man sich bei den Frauen besser präsentieren kann.'

DOMINIK, 18 JAHRE

‚... würde ich bessere Wohnbedingungen für Studenten schaffen. Ich würde den jungen Leuten auch mehr Mut machen, in die Politik zu gehen; das politische Desinteresse ist nämlich sehr groß.'

LE VU FUGET, 19 JAHRE

‚... würde ich die Städte kinder- und jugendgerechter machen. Zum Beispiel würde ich mehr Kindergärten bauen lassen. In meinem Deutschland würde man auch mit 13 in die Discos dürfen.'

MONA, 13 JAHRE

‚... würde ich mehr Gebäude bauen, wo Jugendliche sich nachmittags aufhalten können. Wo sie zum Beispiel Basketball spielen können. Dann würden sie nachmittags nicht nur so zu Hause herumsitzen.'

MARCO, 12 JAHRE

‚... würde ich auf jeden Fall erst einmal den Haschisch- und Drogenkonsum verbieten. Auf gar keinen Fall würde ich Haschisch freigeben.'

ELKE, 14 JAHRE

, ... würde ich erstmal für die deutsche Einheit spenden, damit das da endlich funktioniert und Konflikte ausgeräumt werden. Dann würde ich die Neonazis verbieten und mich allgemein für den Wohlstand einsetzen.'

GIUSEPPE, 18 JAHRE

‚... würde ich an der Schule nichts verändern. Finde ich ganz okay so. Außer vielleicht, ... ich würde versuchen, die Jugendlichen schon in der Schule gegen Rechtsextremismus zu erziehen. Da geschieht nämlich generell ziemlich wenig an politischer Aufklärung.'

ISABEL, 17 JAHRE

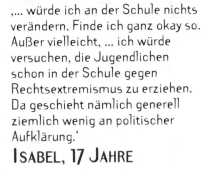

5 Die Zukunft

Hier lernst du ...

Wirst du eines Tages heiraten?

Ja. Ich werde wahrscheinlich heiraten.

**über die Zukunft
zu sprechen**

In welcher Branche willst du arbeiten?

Ich möchte mit älteren Leuten arbeiten.

**über Berufsmöglichkeiten
zu reden**

Ich hoffe, irgendwann in Afrika zu arbeiten.

**über deine Hoffnungen
zu reden**

1 Die Zukunft

Hör gut zu und lies die Geschichte unten. Björn besucht eine Wahrsagerin ...

Ja. Ja. Ich sehe in die Zukunft. Du wirst nachts arbeiten.

Was? Ich werde nachts arbeiten? Nein. Nachts schlafe ich.

Ich sehe eine Fabrik. Und ich höre Musik. Laute Musik.

Unsere Band! Mein Bruder und ich, wir sind in einer Band. Die Band heißt ‚Fabrik‘. Was noch?

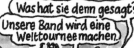

Ich sehe deinen Bruder. Er wird auch nachts arbeiten. Und ihr werdet zusammen lange Reisen machen.

Eine Welttournee mit der Band. Wir werden eine Welttournee machen! Wahnsinn!

Es ist Nacht. Ich sehe zehntausend Leute in einem Stadion. Sie applaudieren. Sie lieben die Musik.

Unsere Fans in Amerika. Sie werden uns lieben. Wir werden tonnenweise CDs verkaufen. Wir werden berühmt sein.

Jetzt sehe ich das ganze Bild. Ihr werdet nachts in der Wurstfabrik arbeiten. An Wochenenden werdet ihr lange Reisen machen, um eure Lieblingsgruppen live zu sehen. Zehn Mark bitte.

Was hat sie denn gesagt?

Unsere Band wird eine Welttournee machen.

Lerntip

Die Zukunft

	werden		Infinitiv
	(an 2. Stelle)		(am Ende)
Ich	**werde**	lange Reisen	**machen.**
Du	**wirst**	nachts	**arbeiten.**
Er/sie/es	**wird**	berühmt	**sein.**
Wir	**werden**		
Ihr	**werdet**		
Sie	**werden**		
Sie	**werden**		

2 Was stimmt wirklich?

Beispiel
1 Das stimmt.

1 Björn wird nachts arbeiten.
2 Björn wird mit seinem Bruder lange Reisen machen.
3 Sie werden eine Welttournee mit der Band machen.
4 Die Band wird tonnenweise CDs in den USA verkaufen.
5 Die Brüder werden nicht berühmt sein.

3 🔲 Eines Tages ...

Hör gut zu. Sieh dir die Sprechblasen und die Antworten an.
Welche Antwort paßt zu welcher Sprechblase?
Beispiel
1 b

1 Christiana.
Wirst du eines Tages Premierministerin sein?

2 Stefan.
Wirst du eines Tages Millionär sein?

3 Kevin.
Wirst du irgendwann heiraten?

4 Zehra.
Wirst du eine interessante Karriere machen?

5 Thorsten und Sasskia.
Werdet ihr auf die Universität gehen?

6 Udo.
Wirst du irgendwann im Ausland leben?

a ganz bestimmt
b bestimmt nicht
c ganz wahrscheinlich
d wahrscheinlich nicht
e vielleicht
f möglicherweise

4 🔲 Interview mit Sabrina und Maik

Hör gut zu. Was paßt zusammen?
Beispiel
1 b

1 Sabrina wird wahrscheinlich nicht ...
2 Beide werden bestimmt ...
3 Maik wird wahrscheinlich ...
4 Vielleicht wird Sabrina ...
5 Nach dem Studium wird Sabrina bestimmt ...
6 Sabrina wird möglicherweise ...

a Japanisch studieren.
b Bundespräsidentin sein.
c Karriere machen.
d auf die Universität gehen.
e heiraten.
f Physik studieren.

5 Talk-Show

Schreib jetzt zehn Fragen zum Thema Zukunft auf.
Mach ein Interview mit einem Partner oder einer Partnerin.
Mach Notizen oder nimm das Interview auf Kassette auf.
Beispiel

Achtung!

Präsens	Zukunft
Es gibt ...	Es wird ... geben.

A Wirst du auf die Universität gehen?

B Ja. Bestimmt.

1 In welcher Branche willst du arbeiten?

Sechs Jugendliche beantworten die Frage: ‚In welcher Branche willst du arbeiten?'. Lies ihre Antworten unten.

Gute Frage. Am liebsten würde ich gar nichts machen. Aber mir ist es egal, was ich mache. Hauptsache ist: ich will viel Geld verdienen und lange Ferien haben. Die erste Million wird wahrscheinlich die schwerste sein.
JAN MEISEL,
16 JAHRE

Im Moment weiß ich nicht so genau. Ich möchte am liebsten im Freien arbeiten, entweder in der Landwirtschaft oder in der Forstwirtschaft. So etwas. Hauptsache: im Freien. Ich möchte etwas für die Umwelt machen. In einer Bank oder in einem Büro würde ich nie arbeiten. Nie.
TANJA MACK,
15 JAHRE

Es ist schwer zu sagen. Ich will irgendwie anderen helfen. Das weiß ich. Und ich möchte entweder mit Behinderten oder mit älteren Leuten arbeiten. In einem Kranken-haus oder in einem Altersheim vielleicht. Die Arbeit selbst ist bestimmt nicht einfach. Und eine gute Ausbildung braucht man auch. Mal sehen, ob ich das schaffe …
PETER FREUDENTHAL,
15 JAHRE

Tja … Ich kann mich gar nicht entscheiden. Ich möchte vielleicht mit Kindern arbeiten. Oder mit Tieren. Im Zoo oder sowas. Ja. Entweder mit Kindern oder mit Tieren. Oder mit Jugendlichen … Oder vielleicht in einem Altersheim. Ach, ich weiß es nicht.
SUSANA AKSU,
16 JAHRE

Das kann ich nicht so einfach sagen. Ich interessiere mich für das Theater und würde ganz gerne in einem Theater oder in der Filmindustrie arbeiten. Oder im Fernsehen möglicherweise. Ich weiß aber nicht, ob dieses Ziel realistisch ist. Wer weiß? Aber ich will etwas Kreatives machen, und jemand muß Fernsehsendungen machen. Na, optimistisch bin ich schon.
ASLA CILLER,
16 JAHRE

Ich bin gar nicht sicher. Ich interessiere mich für Autos und möchte irgendwie in der Autoindustrie arbeiten. In der Produktion vielleicht. Wenn das nicht klappt, würde ich in einer Autowerkstatt arbeiten, oder möglicherweise an einer Tankstelle … Nee. Hoffentlich nicht.
SEBASTIAN VAUPEL, 16 JAHRE

Achtung!
Dativplural

Nominativ	Kinder	Tiere	Leute
Dativ	Kindern	Tieren	Leuten

2 Sechs junge Menschen

Wofür interessieren sich die sechs Menschen auf Seite 60? Welche der Stichwörter unten passen zu jedem Menschen? Paß auf! Zwei Stichwörter brauchst du nicht.

Beispiel

Susana interessiert sich für die Tierwelt/Kinder/ältere Leute/Jugendarbeit.

kreative Arbeit das Theater Tankstellen die Umwelt

die Tierwelt die Autotechnik seine erste Million behinderte Leute

Kinder Sozialarbeit Jugendarbeit sich selbst

ältere Leute das Fernsehen Büroarbeit die Filmindustrie

3 Eltern reden über ihre Kinder

Du hörst jetzt die Mutter oder den Vater von Jan, Susana, Tanja, Peter oder Sebastian. Hör gut zu und schreib jedesmal auf, wer das ist.

Beispiel

1   Sebastians Vater

1   stinkfaul

2   denkt sehr logisch

3   manchmal zu sensibel

4   der Öko-Freak der Familie

5   ausgeglichen

4 Noch etwas!

Wie haben die Eltern ihre Kinder beschrieben? Lies die Sätze links und entscheid jedesmal, wer das ist.

Beispiel

1   Jan

Hör noch einmal zu. Hattest du recht?

5 Und du?

In welcher Branche würdest du gerne arbeiten? Was für eine Arbeit würdest du bestimmt nicht machen? Worüber bist du nicht sicher? Mach drei Listen.

Beispiel

Bestimmt	*Bestimmt nicht*	*Nicht sicher*
in der Filmindustrie arbeiten	*im Freien arbeiten*	*mit Kindern arbeiten*

6 Arbeitswelt

Vor zwanzig Jahren hat die Zeitschrift ‚Arbeitswelt‘ Andreas ‚Düki‘ Düking (Sänger bei Heavy-Metal-Band Hexenhammer) interviewt. Schreib das Interview mit Andreas.

Beispiel

Andreas, 15 Jahre   Andreas, 35 Jahre

> **ARBEITSWELT**
> Interview mit Andreas Düking, 15 Jahre
> – Also Andreas. In welcher Branche möchtest du arbeiten?
> – Gute Frage!

Lesepause

BESTIMMT

Heute abend werde ich es machen
Ganz bestimmt
Wahrscheinlich
Ich werde es wahrscheinlich heute abend machen
Wahrscheinlich heute abend
Ja, wahrscheinlich werde ich es heute abend machen
Oder morgen
Vielleicht
Vielleicht morgen
Vielleicht werde ich es morgen machen
Ja, ich werde es vielleicht morgen machen
Ganz bestimmt
Entweder morgen oder übermorgen
Ja, möglicherweise übermorgen
Möglicherweise morgen
Möglicherweise übermorgen
Entweder morgen oder übermorgen
Bestimmt
Oder Freitag

MAX PETERSEN

KRIMINALITÄT UND KORRUPTION

KRITIK
Snow-City von Dirk Tonn

Manchmal erscheint ein guter Krimi. Manchmal erscheint eine gute Science-fiction-Geschichte. Und alle Jubeljahre erscheint ein amüsanter, mysteriöser, spannender Science-fiction-Krimi. Genau sowas hat Dirk Tonn geschrieben. Gleich nach dem Studium hat Dirk als Illustrator für

Schulbücher gearbeitet. Jetzt aber schreibt er Comicgeschichten. Und wie! ‚Snow-City' ist die neuste und bisher die beste.

Die Geschichte spielt in der Zukunft im Jahre 2027. Inio, Journalistin und Titelheldin der Geschichte, muß den Tod zweier Polizisten aufklären. In der Nähe von Berlin ist die Stadt Snow-City aus dem Boden geschossen. In der Stadt der Zukunft herrscht Chaos. Kriminalität und Drogenkonsum sind die Probleme der Zeit. Die Journalistin Inio gerät in eine mysteriöse Affäre um Drogenhandel und Korruption ...

Mehr über die Geschichte dürfen wir aber nicht verraten ... aber wie in den besten Science-fiction-Geschichten hört man das Echo von heute in der Beschreibung der Zukunft.

Mit dem Flugzeug durch den Tunnel

In Zukunft werden, laut Experten, Flugzeuge unter der Erde fliegen. Japanische Experten wollen mit enormen Tunnels die Flugstrecke zwischen Tokio und Osaka entlasten, weil der Luftraum durch die vielen Flugzeuge verstopft ist. Die Flugtunnels werden bis fünfzig Meter hoch sein, und die Tunnelflugzeuge werden in einer Höhe von einem Meter fliegen. Computer werden diese Flugzeuge durch den Tunnel von Flughafen zu Flughafen steuern. Piloten wird man nicht mehr brauchen.

Japan

Osaka

Tokio

Tokio

Osaka

50 Meter

Wer zeigt uns endlich, wie man lebt?

Wir lernen rechnen, schreiben, lesen,
Mit Messer und mit Gabel essen;
Sitzen, krabbeln, sprechen, laufen,
Schuhe binden, Brot einkaufen;
Französisch, Englisch, Deutsch, Physik,
Rechnungswesen, Politik,
Wie man Brot holt, wie man lügt,
Wie man kuscht und brav sich fügt,
Flöte spielen, nähen, stricken,
Hämmern, schrauben, Fahrrad flicken;
Wie man nach Erfolgen strebt –
Wer zeigt uns endlich, wie man lebt?

ELKE KÖHLER

1 Statistik: Traumberufe

Was sind die Traumberufe von jungen Deutschen? Mehr als 1000 Jungen und Mädchen nannten als Traumberuf ...

MÄDCHEN

110	Künstlerin/Schauspielerin/Schriftstellerin/Fotografin
52	Lehrerin
41	Pflegeberufe (z.B. Krankenschwester/Altersheim)
39	Ärztin
38	Kauffrau
35	Ingenieurin/Architektin
35	Sozialberufe (z.B. Sozialarbeiterin)
32	Journalistin
30	Psychologin
30	Naturwissenschaftlerin
25	Tourismusberufe
22	Friseuse
8	Polizistin
5	Pilotin

JUNGEN

91	Sportler (überwiegend Fußballspieler)
62	Künstler/Schauspieler/Schriftsteller/Fotograf
55	EDV*-Berufe
51	Ingenieur/Architekt
48	Pilot
45	Betriebswirt
31	Handwerker
31	Technische Berufe (z.B. Automechaniker, Elektriker)
30	Naturwissenschaftler
22	Jurist
18	Arzt
7	Polizist
4	Bauer
2	Krankenpfleger

* ELEKTRONISCHE DATENVERARBEITUNG

2 Was willst du werden?

Du hörst sechs Jugendliche, die über ihre Traumberufe reden.
Schreib jedesmal die Traumberufe auf. Paß auf! Manchmal gibt es zwei Traumberufe.
Beispiel
1 Fußballspieler oder Automechaniker

3 Was für einen Beruf willst du?

Vier Jugendliche beschreiben ihre Berufswünsche. Welche Berufe passen am besten? Schlag für jede Person zwei oder drei Berufe vor.
Beispiel
1 Anderl: vielleicht EDV-Beruf oder Betriebswirt

Ich will bestimmt nicht im Freien arbeiten. Dafür bin ich nicht der Typ. Ich mache meine Hausaufgaben immer mit dem Computer. Ich interessiere mich für Naturwissenschaften und Mathe und arbeite besonders gerne mit Statistik und mit Grafik.
ANDERL, 16 JAHRE

Ich suche eine ruhige Arbeitssituation, Spaß an der Arbeit und nette Kollegen. Studieren will ich bestimmt nicht. Ich arbeite lieber mit den Händen als mit dem Kopf ... Ich habe einen Nebenjob in einem Schuhgeschäft und ich rede immer gerne mit den Kunden, aber ich würde lieber etwas Kreatives machen.
JENNY, 15 JAHRE

Ich bin sehr leistungsorientiert. Ich will hart arbeiten, Karriere machen und viel Geld verdienen. In der Schule interessiere ich mich besonders für Deutsch und Fremdsprachen. Ich schreibe gerne Kurzgeschichten und Gedichte. Ich bin auch Redakteurin der Schülerzeitung.
YAZMIN, 16 JAHRE

Ich will etwas Interessantes machen, etwas Wichtiges. Ich will nicht tagelang in einem Büro herumsitzen und die Post sortieren. Ich will Karriere machen. Ich will reisen. Ich will die Welt sehen.
Natürlich will ich auch viel Geld verdienen. In der Schule interessiere ich mich besonders für Informatik, Naturwissenschaften und Mathe. Sportlich bin ich nicht, obwohl ich relativ fit bin.
JAN, 16 JAHRE

4 Das will ich auch!

Anderl will bestimmt nicht im Freien arbeiten. Du auch nicht?
Lies die vier Berufswünsche noch einmal und schreib deine eigenen
Wünsche auf.
Beispiel
Ich will bestimmt nicht im Freien arbeiten. Ich suche eine ruhige
Arbeitssituation ...

5 🔲 Warum möchtest du Pilot werden?

Lies die Satzteile unten. Was paßt zusammen? Dann hör gut zu.
Hast du recht?
Beispiel
1   c, n

Ich will/möchte ...

1 Pilot/in werden,

2 Naturwissenschaftler/in werden,

3 Krankenpfleger/-schwester werden,

4 Ingenieur/in werden,

5 Exportkaufmann/-frau werden,

6 Journalist/in werden,

7 Handwerker/in werden,

8 Polizist/in werden,

a weil ich einen ruhigen Job suche,

b weil ich ein gutes Arbeitsklima suche,

c weil ich mich für Flugzeuge interessiere,

d weil ich Biologie faszinierend finde,

e weil ich anderen helfen möchte,

f weil ich gute Kollegen haben möchte,

g weil ich mich für Computergrafik interessiere,

h weil ich sehr leistungsorientiert bin,

... und ...

i weil ich mich für die Wahrheit interessiere.

j weil ich mich für die Zukunft interessiere.

k weil ich ausgeglichen bin.

l weil ich etwas gegen die Kriminalität machen will.

m weil ich Karriere machen will.

n weil ich gerne reise.

o weil ich viel Geld verdienen will.

p weil ich gerne alleine arbeite.

Was willst du werden?

6 Was willst du werden?

- In welcher Branche möchtest du arbeiten?
- Bist du ganz sicher?
- Was willst du werden?
- Warum?
- Was würdest du nie machen?
- Wie wichtig ist Geld für dich?

Schreib einen Artikel für KLARO-Magazin.
Beispiel
Ich bin nicht total sicher, aber ich will vielleicht
Psycholog/in werden, weil ...

1 📼 Björns Traumberuf

Lies die Geschichte und hör gut zu.

Lerntip

Modalverb – wollen

ich	will
du	willst
Björn	will
er/sie/es	will
wir	wollen
ihr	wollt
Sie	wollen
sie	wollen

2 Millionen verdienen?

Lies die Zusammenfassung unten und füll die Lücken mit Wörtern aus den Kästchen aus. Paß auf! Ein Wort brauchst du nicht.

Beispiel

Björn **will** nicht in der Wurstfabrik arbeiten.

Björn .... nicht in der Wurstfabrik arbeiten. Er hat seine Träume.

Er will reich und .... werden. Die zwei Brüder haben eine Band

und .... um die Welt reisen und Musik für ihre Fans machen.

Sie wollen .... verdienen. Die zwei Teenager auf der Straße

wollen bestimmt nicht in der Wurstproduktion ....

Das kleine Mädchen auch nicht. Und der Mann und die Frau wollen

.... bei ‚Volkswurst' wahrscheinlich auch nicht.

wollen	berühmt	will	viel Geld	die Jugendlichen	arbeiten	einen Job

3 Mein Berufswunsch

Lies den Artikel aus KLARO-Magazin.

Ich habe ein paarmal für eine Modell-Agentur gearbeitet, aber mein Berufswunsch ist Kinderärztin. Ich habe schon ein Berufspraktikum in einem Krankenhaus gemacht. Ich möchte Ärztin werden, weil ich Leben retten will. So viele Kinder sind schwerkrank. Nach dem Abitur will ich darum Medizin studieren. Nach dem Studium arbeitet man als Assistenzärztin in einem Krankenhaus. Ich möchte nie miterleben, wie ein Kind stirbt. Aber irgendwann wird das kommen. Das weiß ich.

Ich würde es interessant finden, einmal im Ausland zu arbeiten. Ich hoffe, irgendwann in Afrika oder Südamerika zu arbeiten. Ich möchte auch eine Familie gründen und für meine Hobbies und den Beruf genug Zeit haben.

KATHARINA, 16 JAHRE

Ich arbeite schon gelegentlich für eine Modell-Agentur. Es macht mir Spaß. Man kann reisen, und ich war schon ein paarmal in Amsterdam. Ich habe auch eine Menge Geld damit verdient. Nach der Schule möchte ich noch einige Zeit als Fotomodell arbeiten: so lange, bis ich Falten bekomme. Im Moment bereite ich mich auf das Abitur vor, obwohl man als Fotomodell keinen Schulabschluß braucht.

Privat möchte ich irgendwann heiraten und eine Familie gründen. Aber das geht bestimmt nicht automatisch, weil ich gut aussehe. Wenn man Fotomodell ist, hat man vielleicht nicht so viele Freunde, wie man glaubt.

MARIKE, 17 JAHRE

4 Alles klar?

Lies den Artikel ‚Mein Berufswunsch‘ noch einmal und beantworte die Fragen auf deutsch.

Beispiel

1 Sie will Ärztin werden.

1 Was will Katharina werden?
2 Warum?
3 Was ist Marikes Berufswunsch?
4 Warum?
5 Welchen Schulabschluß wollen beide Mädchen machen?
6 Was wollen sie nach der Schulzeit machen?
7 Welches Mädchen will einige Zeit im Ausland leben?
8 Was will sie im Ausland machen?
9 Welches Mädchen ist nicht so sicher, daß sie heiraten wird?
10 Warum?

5 Der Chef ist wieder sauer

Der Artikel oben ist viel zu lang! Ich brauche nur vier Sätze pro Person. Du hast fünfzehn Minuten!

Beispiel

Katharina: Mein Berufswunsch ist Kinderärztin. Ich möchte Ärztin werden, weil ...

6 Meine Zukunftspläne

Mach dir Notizen zu diesem Thema. Rede mit Hilfe deiner Notizen über die Zukunft und deine Berufspläne. Nimm deine Rede auf Kassette oder auf Videokassette auf.

Du hast die Wahl

1 🔲 Eine Minute auf der Straße

Ein Journalist ist auf der UFO-Konferenz in Berlin und stellt die Frage ‚Werden im kommenden Jahr UFOs in Berlin landen?'.
Wie viele negative Antworten wird er bekommen?
Schreib eine Zahl zwischen 1 und 10 auf.
Dann hör gut zu.
Hattest du recht?

2 🔲 Wer bekommt den Job?

Hör gut zu. Herr A, Herr B, Herr C, Frau D und Frau E bewerben sich um eine Stelle bei der Polizei.
Wer bekommt die Stelle?

3 🔲 Brasilien

Hör dir die fünfte Episode der Serie an.

4 🔲 Aussprache

Hör gut zu und wiederhole.

> Ich will Luftkissenbootpilot werden.
> Du willst Luftkissenbootpilot werden.
> Er will Luftkissenbootpilot werden.
> Sie ist Luftkissenbootpilotin.

5 Nein danke!

Schreib einen total furchtbaren Bewerbungsbrief für einen Job.
Beispiel

> Sehr geehrter Herr Interluft!
>
> Ich will Pilotin werden, weil ich mich für Modellflugzeuge interessiere. Und ...

6 Bestimmt

Lies das Gedicht ‚Bestimmt' auf Seite 62 noch einmal.
Kannst du es weiterschreiben?
Beispiel

> Möglicherweise übermorgen
> Entweder morgen oder übermorgen
> Bestimmt
> Oder Freitag
>
> Freitag oder Samstag
> Entweder Freitag oder Samstag
> Bestimmt Samstag ...

7 Sag niemals ‚nie'

Schreib zehn Sätze. Jeder Satz muß mit den Wörtern ‚Ich werde nie ... ' beginnen.
Beispiel
Ich werde nie dreitausend Jahre alt sein.

Zusammenfassung

Grammatik

Die Zukunft

	werden (an 2. Stelle)		Infinitiv (am Ende)
Ich	**werde**	lange Reisen	**machen.**
Du	**wirst**	nachts	**arbeiten.**
Er/sie/es	**wird**	berühmt	**sein.**
Wir	**werden**		
Ihr	**werdet**		
Sie	**werden**		
Sie	**werden**		

Dativplural

Nominativ	Kinder	Tiere	Leute
Dativ	Kinder**n**	Tiere**n**	Leute**n**

Modalverb – wollen

ich	will
du	willst
Björn	will
er/sie/es	will
wir	wollen
ihr	wollt
Sie	wollen
sie	wollen

Jetzt kannst du . . .

über die Zukunft sprechen

Ich werde möglicherweise im Ausland leben.	I will possibly live abroad.
Wir werden bestimmt berühmt sein.	We will definitely be famous.
Ich werde bestimmt nicht Premierminister/in sein.	I definitely won't be Prime Minister.

über Berufsmöglichkeiten reden

Mir ist es egal, was ich mache.	I don't care what I do.
Ich will etwas Kreatives machen.	I want to do something creative.
Ich will irgendwie anderen helfen.	I want to help others somehow.
Ich bin nicht sicher.	I'm not sure.

sagen, was du werden willst

| Ich will Journalist/in werden. | I want to be a journalist. |
| Ich will Naturwissenschaftler/in werden, weil ich Biologie faszinierend finde. | I want to be a scientist because I find biology fascinating. |

über deine Hoffnungen reden

Ich möchte heiraten und eine Familie gründen.	I'd like to get married and start a family.
Ich hoffe, irgendwann in Afrika zu arbeiten.	I hope to work in Africa at some stage.
Wir wollen Millionen verdienen.	We want to earn millions.

6 Gesundheit!

Hier lernst du ...

Was fehlt dir?

Ich habe Kopfschmerzen.

zu sagen, warum es dir nicht gut geht

Ich habe seit drei Tagen Halsschmerzen, Frau Doktor.

Kein Problem. Ich verschreibe dir etwas dagegen.

mit dem Arzt/der Ärztin zu sprechen

Ich trainiere, ich esse viel Obst und ich rauche nicht.

zu sagen, wie du dich fit und gesund hältst

Beim Trainieren habe ich mir die Hand verletzt.

Unfälle zu beschreiben

1 🎞 Der Mathetest

Hör gut zu und lies die Fotogeschichte.

Montag morgen. Wie spät ist es? Ach nein! Ich habe für den Mathetest nicht gelernt!

Dir ist schlecht? Was fehlt dir denn?

Mutti. Ich fühle mich gar nicht wohl.

Ich weiß es nicht genau.

Ich habe Kopfschmerzen. Und ich habe mich in der Nacht erbrochen.

Und mein Hals tut weh ... und mir ist warm.

Du hast Fieber! Vielleicht bist du erkältet.

Schreibst du mir einen Entschuldigungszettel für die Schule?

Nein. Weil heute ein Feiertag ist. Es gibt heute keine Schule. Eigentlich wollte ich dich mit in die Eissporthalle nehmen ...

Äh. Ich glaube, es geht mir jetzt besser.

Achtung!
Wie geht's **dir**? **Mir** geht's gut.
Mir ist warm. **Mir** ist schlecht.

2 Was paßt zusammen?

Find Ausdrücke im Text, die zu den folgenden Definitionen passen.
Beispiel
1 Wieviel Uhr ist es? = Wie spät ist es?

1 Wieviel Uhr ist es?
2 Heute ist schulfrei.
3 Mir ist nicht mehr schlecht.
4 Mir ist schlecht.
5 Du fühlst dich nicht wohl?
6 Ich habe Halsschmerzen.
7 Ich habe Kopfweh.
8 Was ist mit dir los?

3 ▭ Ausreden?

Werner, Paul, Steffi, Asla und Susana sind nicht zu Martins Party
gekommen, weil Martin immer ganz doofe Musik spielt. Hör gut zu.
Welche Ausreden haben seine Freunde?
Beispiel
Werner – e, a

4 ▭ Noch etwas!

Hör dir die Dialoge noch einmal an.
Sind die folgenden Sätze richtig oder falsch?
1 Werner will nicht ins Kino gehen, weil er
   Rückenschmerzen hat.
2 Paul hat jetzt Ohrenschmerzen und Fieber.
3 Steffi geht's jetzt besser. Sie hat keine
   Kopfschmerzen mehr.
4 Asla hat im Moment Magenschmerzen.
5 Susana hat immer noch ein bißchen Fieber, aber
   sie will trotzdem ins Kino gehen.

5 Du bist nicht zu meiner Party gekommen

Erfind einen Dialog mit einem Partner/einer Partnerin.
Beispiel
A: Du bist am Samstag nicht zu meiner Party
   gekommen …
B: Ja. Ich hatte nach dem Judotraining
   Magenschmerzen.
A: Willst du mit mir in die Disco gehen?
B: Nein. Ich habe im Moment Kopfschmerzen.

6 Der Englischtest

Schreib eine neue Fassung der Fotogeschichte auf
Seite 70. Ändere möglichst viele Details. Füge auch
neue Details hinzu.
Beispiel
Freitag morgen. Wie spät ist es? Sechs Uhr dreißig.
Freitag? Ach nein! Ich habe für den Englischtest nicht
gelernt! …

Übe den Dialog mit einem Partner/einer Partnerin,
lern ihn auswendig und spiel ihn vor.

1 ▭ Der gelangweilte Arzt

Hör gut zu und lies die Bildgeschichte.

2 ▭ Wo sind sie?

Hör gut zu. Wo finden diese fünf Dialoge statt?

Beispiel

1   a

<table>
<tr><td>a</td><td>im Krankenhaus</td><td>d</td><td>in der Apotheke</td></tr>
<tr><td>b</td><td>beim Arzt/bei der Ärztin</td><td>e</td><td>bei einer Gastfamilie</td></tr>
<tr><td>c</td><td>beim Zahnarzt</td><td>f</td><td>im Zoo</td></tr>
</table>

Achtung!
Es ist nicht schlimm.
ABER
Es ist nicht**s** **S**chlimm**es**.

3 ▭ Wo hast du das gehört?

Hier sind Auszüge aus den Dialogen. Hast du ein gutes Gedächtnis?
Wo hast du jeden Auszug zum erstenmal gehört?

Beispiel

1   beim Arzt

Dann hör dir die Dialoge noch einmal an. Hattest du recht?

Achtung!
bei + Dativ

1
Du hast eine Infektion.
Ich verschreibe dir Penizillin.

Ich bin allergisch gegen Penizillin.

Nimm die Tabletten eine Stunde
vor dem Essen.

2
Vielleicht ist das Bein gebrochen.
Ich rufe einen Krankenwagen.
Das muß bestimmt geröntgt
werden.

Mach dir keine Sorgen. Wir bringen
dich ins Krankenhaus.

3
Und sonst keine anderen Symptome?
Du darfst nach Hause gehen. Es liegt
wahrscheinlich an einem Virus.

Am besten ißt du in den nächsten
vierundzwanzig Stunden nichts. Trink nur
Mineralwasser.

4
Ich kann dir Schmerztabletten
wie zum Beispiel Aspirin
geben. Aber du brauchst
möglicherweise Penizillin.
Und Antibiotika darf nur ein
Arzt verschreiben.

4 Partnerarbeit

Lies den Dialog. Wähl Wörter aus den Kästchen und
mach neue Dialoge.

Beispiel

A Was hast du?   B Mein rechtes Knie tut weh.

Achtung!
seit + Dativ

A **Was fehlt dir denn?**
B **Ich habe furchtbare Ohrenschmerzen.**
A Seit wann hast du das?
B Seit gestern.
A Laß mich mal sehen ... Mmm. Das sieht schlimm aus ...
Sonst keine anderen Symptome?
B **Ich habe in der Nacht Halsschmerzen gehabt.**

A Du hast eine Infektion.
Bist du allergisch gegen
Antibiotika?
B **Ich bin allergisch gegen
Penizillin.**
A Dann verschreibe ich dir etwas
anderes. Nimm zwei Tabletten
eine Stunde vor dem Essen.

A Ich bin nicht sicher, was
du hast.
B **Ich habe auch
Kopfschmerzen.**
A Am besten gehst du ins
Krankenhaus ...
das muß geröntgt
werden.

B Ist es schlimm,
Frau/Herr Doktor?
A Ich glaube nicht.

Was hast du? Was ist los?	Ich habe Halsschmerzen. Mein rechtes Knie tut weh. Ich kann nichts essen, weil ich mich sofort erbreche.	Seit einem Monat. Seit einer Woche. Seit drei Tagen.	Es ist nicht schlimm, glaube ich. Interessant. Sehr interessant.
Du hast eine Grippe. Am besten kaufst du dir ein Mittel dagegen in der Apotheke. Es ist bestimmt nichts Schlimmes. Ich verschreibe dir Antibiotika.	Ich habe gestern Rückenschmerzen gehabt. Ich habe mich heute morgen dreimal erbrochen. Mir ist die ganze Zeit schlecht.	Auah! Es tut echt weh. Mir ist schlecht. Ich werde mich erbrechen.	Ich bin allergisch gegen Antibiotika. Die Apotheke hat nur ‚Grippo' und ich bin allergisch dagegen. Ich rufe das Krankenhaus an. Ja. Wir wollen nichts riskieren.

5 Gedächtnisspiel

Deck die Kästchen unter dem Dialog mit einem Heft
ab. Ändere jetzt den Dialog ohne die Kästchen
anzuschauen. Erfind womöglich neue Details.

Beispiel

A Was ist los?   B Ich habe Augenschmerzen
und meine Nase tut weh.

6 Ist es schlimm, Frau Doktor?

Jenny (siehe Seite 70) ist bei der Ärztin. Sie ist nicht
krank, aber sie möchte ein paar Tage schulfrei haben.
Schreib den Dialog.

Beispiel

Jenny: Guten Tag, Frau Doktor.
Ärztin: Guten Tag. Was fehlt dir denn?

Lesepause

DER GLETSCHERMANN

Im September 1991 fanden Touristen in den Alpen in Südtirol (Italien) die mumifizierte Leiche eines jungen Mannes. Experten schätzen das Alter des sogenannten ‚Gletschermannes' auf 30 Jahre. Er war vor 5300 Jahren bei einer Wanderung über den Gletscher gestorben. Füße, Beine, Oberkörper, Arme, Hände, Gesicht, Haut, Haare, Muskeln und innere Organe waren im Eis gut erhalten geblieben.

Er war vollständig bekleidet und man kann von seiner Ausrüstung viel über das Leben in Europa vor 5000 Jahren erfahren. Der Gletschermann hatte Lederkleidung an. Seine Schuhe waren zum Schutz gegen die Kälte mit Gras gefüttert. Einen Bogen aus Eibenholz und 15 Pfeile hatte er auch dabei. Er hatte auch Nähzeug dabei und einen Beutel mit Birkenbaumpilzen. Diese Pilze wirken ähnlich wie Marihuana.

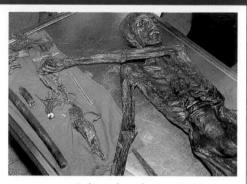

Gab es also schon vor 5300 Jahren Drogenprobleme in Europa?

Für was würdest du aufhören?

Quizfrage: Wie nervt man den Jungraucher, der aufhören will?

Antwort: Mit ‚Lieber gar nicht erst anfangen'!

GAUDI hat die Frage gestellt: ‚Für was würdest du es tun – das Aufhören?'

Benni, 19 Jahre: Für einen sechswöchigen Urlaub in Amerika mit einer Harley Davidson würde ich das Rauchen für immer aufgeben.

Asla, 16 Jahre: Ich würde das Rauchen sofort aufgeben – für nichts! Aber leichter gesagt als getan. Wenn ich ein Raucherbein hätte, würde ich bestimmt damit aufhören.

Christina, 16 Jahre: Ich würde eigentlich jederzeit gerne aufhören. Also, wenn ich einen Freund hätte, der mich anspornt und vielleicht mit mir aufhört zu rauchen, wäre das OK.

Alexander, 18 Jahre: Für das Geld, das ich mir durch das Nichtrauchen einsparen könnte, würde ich das Rauchen aufgeben. Nur, leider, klappt's nicht.

Riskierst du eine Infektion? GAUDI-Psycho-Test!

Lies unseren Psycho-Test und wähl jedesmal a, b, oder c!

1 Du gehst zum ersten Mal mit einem sehr attraktiven Jungen/Mädchen aus. Ihr amüsiert euch ganz gut. Ihr versteht euch prima. Am Ende des Abends will er/sie mit dir knutschen. ABER er/sie hat eine Erkältung. Was machst du?

a Mir ist es egal. Ich küsse ihn/sie trotzdem.

b Ich will keine Infektion bekommen. Ich küsse ihn/sie überhaupt nicht.

c Ich küsse ihn/sie, aber nur ein einziges Mal und sehr schnell.

2 Deine Hockey- bzw. Fußballmannschaft erreicht das Endspiel einer Meisterschaft. Du willst unbedingt mitspielen, ABER am Morgen des Endspiels tut dein Knie weh. Was machst du?

a Ich erkläre dem Trainer, ich bin nicht fit und ich spiele nicht mit.

b Ich rede mit dem Trainer darüber und hoffe, er läßt mich spielen.

c Ich sage dem Trainer kein Wort. Ich spiele trotzdem.

3 Dein Arzt hat dir nach einer Knieoperation Schmerztabletten verschrieben, ABER eine Freundin von dir meint, diese Tabletten können gefährlich sein. Was machst du?

a Sie ist eine gute Freundin, aber keine Ärztin. Ich nehme die Tabletten trotzdem.

b Vielleicht hat sie recht. Ich spreche mit dem Arzt darüber.

c Man weiß nie. Ich nehme nur die halbe Dosis.

4 Du hast Magenschmerzen gehabt. Der Arzt hat dir gesagt, du darfst vierundzwanzig Stunden nichts essen und nur Mineralwasser trinken, ABER heute abend gibt es eine große Party bei einer Freundin. Alle deine Freunde werden da sein. Ihre Eltern besitzen ein Restaurant und das Essen wird bestimmt wunderbar sein. Was machst du?

a Ich gehe nicht zur Party.

b Ich gehe zur Party, aber ich esse nichts und trinke nur Wasser.

c Ich gehe zur Party und esse, was ich will. Am folgenden Tag kann ich wieder zum Arzt gehen, wenn ich immer noch Probleme habe.

5 Du hast eine Grippe. Du wirst eine wichtige Matheprüfung versäumen, weil der Arzt dich für vier Tage krank geschrieben hat. ABER am Tag der Prüfung fühlst du dich wieder fit. Was machst du?

a Ich gehe nicht zur Schule, aber ich stehe auf und mache Schulaufgaben.

b Ich bleibe vier Tage lang im Bett. Der Arzt weiß, was er tut.

c Ich gehe zur Prüfung, auch wenn ich immer noch ein bißchen krank bin.

13-15 Punkte Du riskierst viel! Paß viel auf!

8-12 Punkte Du bist vernünftig, aber Entscheidungen fallen dir manchmal schwer.

5-7 Punkte Du riskierst nicht viel! Deine Gesundheit ist für dich wichtig.

Lösung Wie viele Punkte hast du? **1** a-3, b-1, c-2 **2** a-1, b-2, c-3 **3** a-3, b-1, c-2 **4** a-1, b-2, c-3 **5** a-2, b-1, c-3

1 📼 Gesundheit durch Training?

Hör gut zu und lies den Artikel.

Was machst du für deine Gesundheit?

GAUDI hat Mitglieder des Zellerfelder Sportvereins interviewt.

Ich bin sehr gesundheitsbewußt. Ich bin relativ fit. Ich rauche nicht. Ich trinke selten Alkohol. Ich finde, gute Ernährung ist für die Gesundheit auch sehr wichtig. Meine Schwester und ich, wir sind beide seit drei Jahren im Verein. Bogen schießen sieht ganz locker aus, aber es ist viel anstrengender als man denkt. Im Training schieße ich 200 bis 250 Pfeile. Die Arme werden einfach müde. Nachher bin ich immer erschöpft. Wir trainieren viermal in der Woche reines Bogentraining. Wir gehen auch noch einmal in der Woche zum Ausdauertraining: laufen, schwimmen oder radfahren. **Bianca** (16)

Seit sechs Monaten trainiere ich zweimal die Woche hier beim Sportverein. Ich mache einmal Bogentraining und einmal Ausdauer- und Krafttraining. Nach dem Training bin ich immer ganz schlapp, aber am folgenden Tag fühle ich mich immer astrein. Ich bin auch seit ein paar Jahren Vegetarier. Manche Leute denken, man kann ohne Fleisch nicht gesund bleiben, aber das ist Quatsch. Die größten Tiere der Welt sind Vegetarier. Gesundheit und Fitneß sind für mich jetzt sehr wichtig. Daher rauche ich seit drei Wochen nicht mehr. **Erdal** (15)

Ich komme aus der Schweiz und bin erst seit einem Jahr im Sportverein. Ich lerne hier Bogen schießen, aber ich komme nur einmal die Woche zum Training. Ich find's eigentlich zu anstrengend. Ehrlich gesagt bin ich nicht sehr sportlich. Ich sehe ohne sportliches Training gut aus und ich kann mehr oder weniger alles essen, was ich will: Schokolade, Hamburger, Chips . . . Ich gehe ab und zu mit meinem Freund schwimmen. Im Winter mache ich auch ganz gerne Langlauf. Und sonst mache ich nicht mehr viel. Ich rauche nicht. Ich nehme keine Drogen. Naja . . . eigentlich bin ich selten krank. **Nicole** (16)

Ich bin erst seit einem Monat im Verein. Ich halte nicht viel von dieser Fitneßmode. Alle wollen sich tot trainieren. Der Junge gegenüber von uns . . . der trainiert mindestens fünf Stunden am Tag. Jeden Tag, auch zu Weihnachten. Der sieht zwar fit aus, aber wozu? Der hat gar keine Zeit für seine Familie oder seine Freunde. Ist das etwa gesund? Man kann eigentlich zu viel trainieren. Familie und Freunde sind auch wichtig für die Gesundheit. Ich persönlich treibe gerne allerlei Sport aber nur aus einem einzigen Grund — weil es mir Spaß macht und nicht, weil ich wie ein Gorilla aussehen möchte. Mein Traum ist, einmal Abfahrtski zu lernen. **Jens** (16)

2 Alles klar?

Lies den Artikel noch einmal. Was paßt zusammen?
Beispiel
1 Bianca, Erdal und Nicole machen Bogenschießen.

1 Bianca, Erdal und Nicole ...	möchte eine neue Sportart lernen.
2 Jens ...	hat aufgehört, zu rauchen.
3 Nicole ...	machen Bogenschießen.
4 Bianca ...	ist bestimmt nicht Vegetarierin.
5 Erdal ...	trainiert am meisten.
6 Bianca und Erdal ...	sind nach dem Training müde.

Hugo Ines Kevin
Linda Mustafa Natascha

Achtung!
Ich **habe** gestern **trainiert**.
Ich **trainiere** seit sechs Monaten.

3 ☞ Seit wann?

Hör gut zu. Seit wann sind diese Teenager Mitglieder im Sportverein?
Beispiel
1 Hugo – (erst) seit einer Woche

Lerntip
Präpositionen + Dativ

	m.	**f.**	**nt.**	**pl.**
aus	dem	der	dem	den
bei	einem	einer	einem	
mit				
nach				
seit				
von				
zu				
gegenüber (von)				

4 Ich auch …

Sieh dir den Artikel auf Seite 76 noch mal an. Was hast du mit Nicole, Jens, Erdal oder Bianca gemeinsam?
Schreib die Gemeinsamkeiten auf.
Beispiel
Ich kann mehr oder weniger alles essen, was ich will. (Nicole auch.)

5 Rollenspiel

Spiel die Rolle von Bianca, Erdal, Nicole oder Jens. Lies den Text noch einmal gut durch. Dein/e Partner/in wird dir Fragen stellen. Du brauchst auch Phantasie!

Treibst du gerne Sport?

Seit wann bist du im Sportverein?

Wie oft trainierst du?

Was machst du, um gesund zu bleiben?

Rauchst du? (Seit wann?)

Bist du Vegetarier/in? (Seit wann?)

6 Wie gesundheitsbewußt bist du?

Schreib einen Artikel über dich selbst. Trainierst du? Wie oft? Rauchst du? Warum (nicht)? Bist du Mitglied in einem Verein? Seit wann? Usw.

7 Präsentation

Mach dir Notizen zu deinem Artikel. Dann spiel ihn vor.
Beispiel
rauche nicht – stinkt
trainiere – 3x die Wo. – Spaß

1 📼 Verletzt aber nicht vergessen

Hör gut zu und lies die Bildgeschichte.

2 📼 Unfälle

Hör gut zu. Was sagen sie? Notiere jeweils die Buchstaben.
Dann bild einen Satz.

Beispiel

1 a, d, k → Ich habe mir den Arm gebrochen.

Achtung!

Ihr seid Motorrad gefahren. Ihr habt euch beide das linke Bein gebrochen.
ODER
Ihr habt euch beide **beim Motorradfahren** das linke Bein gebrochen.

1	Heike	a	Ich habe mir	(in)	c	den Fuß	i	geschnitten.
2	Mehmed	b	Wir haben uns		d	den Arm	j	verstaucht.
3	Evelyn u. Sabrina				e	den Ellbogen	k	gebrochen.
4	Antonia				f	die Nase	l	verletzt.
5	Karolina				g	die Hand	m	verbrannt.
6	Marcel				h	das Knie		

3 🔲 Noch etwas!

Hör noch einmal gut zu. Wie haben sie sich verletzt?
Mach Notizen. Dann schreib einen Satz.
Beispiel
Heike – beim Duschen. → Sie hat sich beim Duschen
den Arm gebrochen.

Achtung!	
Ich habe mir Du hast dir	**in** die Hand geschnitten.

Lerntip
Reflexivverben mit Direktobjekt

Ich habe **mir** Du hast **dir** Er/sie/es hat **sich** Wir haben **uns** Ihr habt **euch** Sie haben **sich** Sie haben **sich**	den Fuß die Hand das Bein	verstaucht. verbrannt. gebrochen. verletzt.

4 Wie ist das passiert?

Lies die Sprechblasen und schreib einen Dialog. Es gibt im Dialog einen Patienten, eine Krankenschwester
und einen Arzt. Übe den Dialog mit zwei Klassenkameraden.

Es ist der andere Fuß, Herr Doktor.

Was ist mit ihm los?

Bitte. Ich bin hier der Arzt. Also. Es ist nur verstaucht.

Gut.

Alles klar. Tut das weh?

Wie ist das passiert?

Auaaaaah!

Sein Fuß tut weh, Herr Doktor.

Er hat es beim Eislaufen gemacht, Herr Doktor.

OK. Guten Tag. Ich bin Doktor Brückner. Sie haben sich den Fuß beim Eislaufen verletzt ... Tut das weh?

Nein.

Es ist nur verstaucht.

Wir haben es schon geröntgt, Herr Doktor. Es ist nicht gebrochen.

Ja. Das tut weh. Verstaucht oder gebrochen, glaube ich. Es muß geröntgt werden.

5 Kettenspiel

Mach ein Kettenspiel mit einem Partner/einer Partnerin.

A Ich habe mir gestern in die Hand geschnitten.	→	**B** Ich habe mir gestern in die Hand geschnitten und den Fuß verstaucht.	→	**A** Ich habe mir gestern in die Hand geschnitten, den Fuß verstaucht und ...

☺ Du hast die Wahl

1 Meine Verletzungen

a Schreib über die Verletzungen, die du erlitten hast. Wer hat die längste Liste?
Beispiel
Vor drei Jahren habe ich mir beim Tennisspielen den Rücken verletzt.

b Was sind die häufigsten Verletzungen in deiner Klasse? Mach eine Umfrage in der Klasse und schreib eine ‚Hitliste'.
Beispiel

> 1 **Arm gebrochen**
> 2 **Fuß verstaucht**
> 3 **...**
> 4
> 5

2 Zu verkaufen: Schlechte Ausreden

Schreib zehn Ausreden, die kein Lehrer glauben würde.
Beispiel
Ich habe nur neun Fragen beantwortet, weil ich mir beim Denken den Kopf verstaucht habe …

3 📼 Beim Arzt

Lies das Gedicht und füll die Lücken mit Reimen aus. Dann hör dir das Gedicht an. Hattest du recht?

> **Beim Arzt**
> Knie verletzt
> Arm g...........................
> Hingesetzt
> Darüber gesprochen
> Fuß v...........................
> Hand v...........................
> Nicht geraucht
> Kein Verband
> Wieder gesprochen
> Rezept bekommen
> Zu Hause e...................
> Tabletten g..................
>
> MAX KAISER

4 📼 Brasilien

Hör dir die sechste Episode der Serie an.

5 📼 Aussprache

Hör gut zu und wiederhole:

> Gemacht, nicht gemacht, erbrochen, nicht erbrochen, geraucht, nicht geraucht, gesprochen, nicht gesprochen, verstaucht, nicht verstaucht, ich auch.

Zusammenfassung

Grammatik

Präpositionen + Dativ				
	m.	**f.**	**nt.**	**pl.**
aus	dem	der	dem	den
bei	einem	einer	einem	
mit				
nach				
seit				
von				
zu				
gegenüber (von)				

Reflexivverben mit Direktobjekt			
Ich habe	**mir**	den Fuß	verstaucht.
Du hast	**dir**	die Hand	verbrannt.
Er/sie/es hat	**sich**	das Bein	gebrochen.
Wir haben	**uns**		verletzt.
Ihr habt	**euch**		
Sie haben	**sich**		
Sie haben	**sich**		

Jetzt kannst du . . .

sagen, warum es dir nicht gut geht

Was fehlt dir?	What's wrong?
Mein Knie tut weh.	My knee hurts.
Ich habe Kopfschmerzen.	I've got a headache.
Ich habe mich erbrochen.	I've been sick.

mit dem Arzt/der Ärztin zu sprechen

Ich habe seit drei Tagen Durchfall.	I've had diarrhoea for three days.
Ich verschreibe dir Dia-Stop.	I'll prescribe you Dia-Stop.
Es ist nichts Schlimmes.	It is nothing bad.
Es muß geröntgt werden.	It has to be x-rayed.

sagen, wie du dich fit und gesund hältst

Ich rauche nicht.	I don't smoke.
Wir trainieren viermal in der Woche.	We train four times a week.
Ich bin seit ein paar Jahren Vegetarier/in.	I've been a vegetarian for a few years.
Ehrlich gesagt bin ich nicht sehr sportlich.	To be honest, I'm not very sporty.

Unfälle beschreiben

Letztes Jahr habe ich mir den linken Arm bei einem Motorradunfall gebrochen.	Last year I broke my left arm in a motor bike accident.
Meine Freundin hat sich vorletztes Jahr das rechte Bein gebrochen.	My girlfriend broke her right leg the year before last.
Ich habe mir mit einem Messer in die Hand geschnitten.	I've cut my hand with a knife.

Lesepause

Bodybuilding oder ‚Ich frage mich, ob die Welt wirklich so ist'

Der Fluch des Pharaos

Im Jahre 1922 öffnen Lord Caernarvon und Howard Carter das Grab des ägyptischen Königs Tutanchamun. Einige Zeit später sterben sie und 25 ihrer Mitarbeiter an einer mysteriösen Krankheit. Der Fluch des Pharaos? Eigentlich nicht.
Die Forscher hatten im Grab tausende von Schimmelpilzsporen eingeatmet und haben dadurch eine tödliche Lungenentzündung bekommen.

Schmerzen der Woche

Mainz – die Polizei bekommt einen Notruf: ‚Auf der Autobahn kriecht ein Betrunkener!' Ein Polizeiwagen sauste los und fand den Mann. Er hatte nichts getrunken, sondern hatte schlimme Rückenschmerzen. Er konnte nicht mehr laufen und hatte seine Fahrgemeinschaft verpaßt. Er mußte kriechend nach Hause gehen. Die Polizisten brachten den Mann nicht nach Hause, sondern direkt in eine Klinik.

Nur Kopfschmerzen?

Der 62jährige Schwede Bengt Svensson hatte furchtbare Kopfschmerzen. Die Ärzte befürchteten einen Tumor. Einen Tumor hatte der Patient aber nicht. Im Krankenhaus fanden die Ärzte eine drei Zentimeter lange Schraube zwischen Gehirn und Schädel. Als 14jähriger hatte Bengt mit einer Pistole gespielt. Beim Spielen explodierte sie. Am Kopf und Hals hatte Bengt ein paar Fleischwunden, aber nichts weiter. Die Schraube war aber ein Teil der Pistole. Sie saß fast 50 Jahre ohne Probleme in seinem Kopf. Ärzte operierten die Schraube heraus.

Aus: **Das Buch der 1000 Sensationen**
© 1993 Loewe Verlag GmbH, Bindlach

7 Ich würde lieber windsurfen gehen …

Hier lernst du …

Wollen wir ins Kino gehen?

Nein danke. Ich habe furchtbare Kopfschmerzen.

Vorschläge zu machen und Ausreden zu benutzen

Ich würde lieber Englisch lernen.

zu sagen, was du lieber machen würdest

Wenn es regnet, treffen wir uns im Jugendklub.

Treffpunkte auszumachen

Wenn ich unter einer Leiter durchgehe, drück' ich immer die Daumen.

über Aberglauben zu diskutieren

1 ▭ Nach der Party

Hör gut zu und lies die Fotogeschichte.

Was für eine Party das war! Detlev, du mußt mich anrufen!

Der Dennis! Schnell – eine Ausrede. Ich wasche das Auto?

Nein, ich kann nicht. Ich habe furchtbare Kopfschmerzen.

Dennis ist ein Idiot. Detlev, du mußt mich anrufen …

Hallo. Hier ist Tilly.

Der Marc! Eine Ausrede! Ich gehe mit dem Hund spazieren?

Nein. Ich kann nicht. Ich wasche mir die Haare.

Was für ein Kriecher! Detlev! Wo bist du?

Detlev!! … Ehm … das wäre toll, aber ich kann nicht. Ich habe mir den Fuß verstaucht.

Hallo, Tilly am Apparat.

2 🔲 Noch etwas!

Hör noch mal zu und lies die Sätze unten. Wer schlägt was vor?
Detlev, Dennis oder Marc?(Achtung! Drei Vorschläge bleiben übrig!)
Beispiel
Dennis – f

a Wollen wir heute spazierengehen?

b Möchtest du mit mir kegeln gehen?

c Wollen wir reiten gehen?

d Wollen wir eine Radtour machen?

e Wollen wir ins Kino gehen?

f Wollen wir ein Eis essen gehen?

Achtung!
Bei Modalverben – Hauptverb ans Ende!
Wollen wir Fußball **spielen**?
Möchtest du mit mir eine Radtour **machen**?

3 Toll?

Du hast eine Minute. Wie viele Vorschläge kannst du deinem Partner/deiner Partnerin machen? Du bekommst einen Punkt für einen Vorschlag aus dem Buch und zwei Punkte für einen ‚neuen' Vorschlag!
Beispiel

A Wollen wir ins Kino gehen?   (1 Punkt)

B Möchtest du mit mir Skifahren gehen?   (2 Punkte)

4 🔲 Die beste Ausrede?

SAT. 1

19.30   Die beste Ausrede?
Spielshow mit Rüdiger Haas.
Diese Woche treten vier Kandidaten an. Die Herausforderung: Die vier besten Ausreden zu wählen. Die Auswahl muß mit Rüdigers übereinstimmen. Zu gewinnen: Eine fantastische Stereoanlage!
45 Minuten

Bettina, Otmar, Rolf und Barbara spielen ‚Die beste Ausrede?'. Hör gut zu und lies die Liste der Ausreden unten. Welche vier Ausreden wählt jede/r? Und wie viele sind richtig?
Beispiel
Bettina: h, d, g, f   (zwei richtig)

a Ich streiche das Klo an.
b Ich wasche meine Kleider.
c Ich habe Kopfschmerzen.
d Ich putze die Stereoanlage.
e Ich bügele meine Kleider.
f Ich putze mein Zimmer.
g Ich wasche mir die Haare.
h Ich wasche das Auto.

5 Gruppenarbeit

Teppich   Kleider
Waschmaschine   Haare
Banane   Fenster

Arbeitet in Vierergruppen. Jede Gruppe muß eine Liste von Ausreden erfinden, und jede Ausrede muß mindestens eines der Wörter links enthalten. Welche Gruppe schafft die längste Liste?
Beispiel
Ich bügele meine Kleider.

1 ▭ Michael und Michaela

Michael und Michaela sind Geschwister, aber sie sind sich **nie** einig! Hier schlägt ihre Mutter Tätigkeiten vor. Hör gut zu und ordne die Bilder ein.

Beispiel

1   f

2 ▭ Noch etwas!

Hör noch mal zu. Wer schlägt jede Tätigkeit vor?
Mutti, Michael oder Michaela?

Beispiel

f   Mutti

3 Was würdest du lieber machen?

GAUDI Interviews. Die Fragen: Was würdest du lieber machen? Und was würdest du am liebsten machen? Lies den Artikel unten und dann schreib vier Sätze über jede Person.

Beispiel

Angelika würde **lieber** etwas anderes machen.
Angelika würde **am liebsten** …

Ich arbeite nicht gerne hier! Ich würde lieber etwas anderes machen! Was genau? OK. Ich würde lieber Fallschirmspringen oder Drachenfliegen machen. Ich würde lieber zu Hause sitzen und fernsehen, oder Zeitungen lesen, oder Musik hören, oder sogar abspülen! Am liebsten würde ich Bungeespringen machen.
Angelika, 19 Jahre (Sekretärin)

Ich finde es sehr langweilig auf dieser Schule. Am schlimmsten finde ich diese Mathestunde. Ich würde lieber Englisch lernen – oder Französisch, oder Deutsch, oder Geschichte. Ehrlich gesagt würde ich die Schule lieber verlassen und einen Job suchen. Am liebsten würde ich Taxi fahren.
Eva, 16 Jahre (Schülerin)

Ich würde lieber drinnen arbeiten. Draußen zu arbeiten finde ich kalt und deprimierend. Ich würde lieber in einem Büro arbeiten oder in einem Zeitungsgeschäft. Ich würde auch lieber ins Ausland ziehen – vielleicht in die Schweiz oder nach Österreich. Aber am liebsten würde ich in einem Kaufhaus arbeiten.
Rüdiger, 20 Jahre (Bauarbeiter)

Lerntip

Ich würde lieber …

Was würdest du lieber machen?	Ich würde lieber Englisch lernen.
Was würde er am liebsten machen?	Er würde am liebsten in den Park gehen.

4 Ich würde lieber ...

Sieh dir die Bilder unten an und füll die Lücken aus.

Er würde lieber Fußball spielen.

Sie würden ...

Ich ...

Sie ...

Er ...

Wir ...

Beispiel

5 Du bist der Comiczeichner!

Kannst du jetzt noch drei oder vier solcher Comics zeichnen und die Sprechblasen oder die Unterschrift schreiben?

6 Das mach' ich nicht gerne!

Arbeitet zu zweit, um einen Dialog zu bilden. Benutzt die Hinweise unten.
1   Schlag eine Tätigkeit vor.
2   Dein/e Partner/in muß eine Ausrede erfinden.
3   Schlag noch eine Tätigkeit vor.
4   Dein/e Partner/in muß sagen, was er/sie lieber machen würde.
5   Das machst du nicht gerne. Schlag noch eine Tätigkeit vor.

Beispiel

A Wollen wir schwimmen gehen?

B Ich habe Kopfschmerzen.

A OK. Wollen wir ins Kino gehen?

B Ich würde lieber ein Eis essen gehen.

A Das mach' ich nicht gerne. Wollen wir einen Hamburger essen?

...

Wie lange könnt ihr mit dem Dialog weitermachen?

Lesepause

Werner, Gregor und Jana haben einen KLARO-Wettbewerb gewonnen. Sie haben einen Wunsch – sie dürfen das tun, was sie am liebsten machen würden. Lies jetzt ihre Tagebücher …

Werners Wunsch

Mittwoch 10 Juli

Der Flug nach Honolulu dauert neunzehn Stunden insgesamt. Der Hubschrauber bringt mich von Honolulu nach Awolowu – meine Insel für die nächsten drei Tage. Als er verschwindet, bekomme ich ein seltsames Gefühl. Zum ersten Mal in meinem Leben bin ich ganz alleine. Die nächste Insel ist dreihundert Kilometer entfernt!

Donnerstag 11 Juli

Als erstes mache ich eine Rundfahrt um die Insel. Sie ist wunderschön, mit allerlei Blumen und Bäumen und mit schneeweißem Strand überall. Dann bekomme ich Hunger. Ich verbringe zwei Stunden mit dem Suchen von Essen. Ich finde aber nur Meeresalgen. Ich habe nichts zu essen mitgebracht – ich wollte ein echtes ‚einsame Insel' Erlebnis haben! Also esse ich am ersten Tag nur Meeresalgen! Am späten Abend schlafe ich unter einer Palme ein.

Freitag 12 Juli

Heute gehe ich schwimmen, ich liege in der Sonne, ich genieße die Einsamkeit. Ich finde sogar etwas zu essen – ich fange einen großen Fisch und brate ihn auf einem offenen Feuer. Am Abend höre ich der außergewöhnlichen Stille zu und bald schlafe ich ein.

Samstag 13 Juli

Hier ist mein Leben perfekt. Leider muß ich heute nach Hause fahren! Der Hubschrauber holt mich am frühen Nachmittag ab. Morgen abend werde ich schon zu Hause in Düsseldorf sein.

Eines Tages werde ich aber bestimmt zu meiner einsamen Insel zurückkehren!

Gregors Wunsch

Mein Wunsch war, einen Tag als Popstar zu verbringen.

Mittwoch 3 Juli

Der Tag beginnt früh am Morgen. Die Limousine kommt um genau sechs Uhr an, und ich bin immer noch im Bett! Ich ziehe mich schnell an. Dann fährt die Limousine mich direkt ins Büro, und um sieben Uhr bin ich dort. Man hat ein volles Programm für mich arrangiert. Es wird spannend sein! Zuerst lese ich zwei Stunden lang meine Fan-Briefe. Ich diktiere die Antworten meinem Sekretär, und danach kann ich kaum sprechen – ich bin so heiser.

Ich habe um zehn Uhr eine Verabredung bei einem Fernsehsender. Noch mal in die Limousine, und schnell durch die Straßen. Wir kommen gerade rechtzeitig an.

Man schminkt mich und macht dann das Interview. Dann muß das Interview noch

Janas Wunsch

Dienstag 25 Juni

Heute ist der besondere Tag! Ich wache schon um sechs Uhr auf. Ich bin gespannt. Ich dusche mich sehr schnell und ziehe einen Overall an. Normalerweise esse ich ein riesiges Frühstück. Heute aber nur ein gekochtes Ei mit Roggenbrot für mich – am besten bleibt mein Magen fast leer …

Um Viertel vor acht verlasse ich das Haus und fahre mit dem Zug nach Altbach.

In Altbach gehe ich zum Park, wo ein großer Jahrmarkt ist. In der Ferne kann ich einen großen Kran sehen. Er muß wenigstens hundert Meter hoch sein. Ich fange an, kalte Füße zu kriegen … am liebsten würde ich jetzt nach Hause fahren!

Von oben ist es viel, viel schlimmer! Ich habe immer Bungeespringen machen wollen – aber jetzt denke ich, ich muß verrückt sein! Jetzt bin ich dran! Man macht mich am ‚Bungee' fest, und dann muß ich in die Luft springen. Hilfe! Ich kann's nicht … ! Mir wird schwindlig … LOS!!! Mensch! Was für ein Gefühl! Zuerst verschlägt es mir den Atem … aber dann ist es fantastisch! Ich fliege noch fünfmal auf und ab, und dann bleibe ich in der Luft hängen. Dann läßt mich der Kran wieder auf den Boden hinunter … Ich springe insgesamt viermal Bungee. Das war für mich alles unglaublich toll!

Ich gehe früh ins Bett, weil ich so müde bin. Aber ich kann nicht schlafen! Morgen wird es **so** langweilig sein!

mal gemacht werden (kein Film in der Kamera) … und noch mal (zu viele Geräusche) und noch mal … Erst beim vierten Versuch ist der Regisseur zufrieden. Ich steige sofort wieder in die Limousine und fahre zu einem Restaurant. Auf dem Bürgersteig stehen Tausende von Fans. Ich schreibe eine Stunde lang Autogramme, bevor ich ins Restaurant gehe.

Um halb vier müssen wir das Restaurant verlassen und zum Flughafen fahren.

Am Flughafen sind noch mehr Fans! Nur mit großer Mühe schaffe ich es, von der Limousine zu meinem Jet zu gehen. Der Jet bringt mich nach München, wo ich am Abend ein Konzert geben muß. Ich muß zwei Stunden lang singen und tanzen! Die Fans schreien nach einer Zugabe, aber ich bin zu müde dafür und verschwinde gleich nach dem letzten Song! Danach fliege ich wieder nach Hause. Ich komme dort gegen drei Uhr morgens an, total erschöpft!

Morgen bin ich wieder Gregor Hagenhoff, Schüler!

1 📼 Wenn das Wetter schön ist ...

Acht Jugendliche wollen miteinander ausgehen. Sie telefonieren miteinander, um Treffpunkte auszumachen. Hör gut zu und füll die Lücken aus.

Beispiel

a Wenn es <u>regnet</u>, treffen sich Melanie und Hanno unter dem Baum am <u>Marktplatz</u>.

a Wenn es _____, treffen sich Melanie und Hanno unter dem Baum am _____.

b Wenn die _____ _____, treffen sich Melanie und Hanno hinter der _____.

c Wenn es _____ ist, treffen sich Martin und Beate vor dem _____.

d Wenn es _____ ist, treffen sich Martin und Beate im _____.

e Wenn das Wetter _____ ist, treffen sich Anna und Christian auf der _____.

f Wenn das Wetter _____ ist, treffen sich Anna und Christian zwischen der Litfaßsäule und der _____ am _____.

g Wenn es _____ ist, treffen sich Judith und Klaus im _____.

h Wenn es _____ ist, treffen sich Judith und Klaus am _____.

---

2 Wo treffen sie sich?

Wie ist das Wetter am folgenden Tag? Und wo treffen sich die Jugendlichen? Sieh dir die Symbole unten an und schreib für jedes Paar einen Satz.

Beispiel

Melanie und Hanno treffen sich hinter der Kirche.

Melanie und Hanno

Martin und Beate

Anna und Christian

Judith und Klaus

3 Partnerarbeit

Du wirst dich jeden Tag dieser Woche (d.h. von Montag bis Freitag) mit deinem Partner/deiner Partnerin treffen – aber wo? Das Wetter spielt eine Rolle ...

Beispiel

A Wo treffen wir uns am Montag?

B Wenn das Wetter schön ist, treffen wir uns hinter der Kirche, aber ...

4 Abergläubisch? Ich? Nie ...

GAUDI-Magazin hat zwei Jugendliche über Aberglauben interviewt.
Hier sind ihre Antworten. Lies die Texte und ordne die Bilder unten ein.
Beispiel
f, ...

Ich bin überhaupt nicht abergläubisch. Zugegeben, es
gibt ein paar Dinge, die ich immer unter gewissen
Umständen mache (Gewohnheiten, würde ich sie eher
nennen). Zum Beispiel – wenn ich in die Stadt gehe,
trage ich immer rote Gummistiefel. Was noch? Nicht
sehr viel, meine ich. Wenn ich zu Abend esse, sitze ich
immer an der linken Seite eines leeren Stuhls (das nicht
zu machen bringt Pech). Es gibt noch ein paar Sachen.
Wenn ich über eine Brücke gehe, bleibe ich immer auf
der linken Seite der Straße (außer, wenn ich über eine
Eisenbahnbrücke gehe, dann bleibe ich natürlich auf
der rechten Seite). Und das ist alles. Nein. Im großen
und ganzen bin ich nicht abergläubisch.

Julia, 15 Jahre, Ulm

Meine Freunde finden mich sehr abergläubisch, aber
ich selber bin nicht sicher. Hier sind einige Beispiele.
Wenn ich unter einer Leiter durchgehe, drück' ich
immer die Daumen. Was sonst? Also, wenn ich auf
dem Bürgersteig gehe, trete ich nie auf die Ritzen.
Wenn jemand einen Regenschirm drinnen aufklappt,
ziehe ich immer einen Regenmantel an. Ich denke, das
ist alles. Vielleicht bin ich schließlich doch etwas
abergläubisch ...

Dirk, 16 Jahre, Limburg

5 Noch etwas!

Jetzt lies die Texte noch mal und stell die Satzteile zusammen.
Beispiel
1 d

1	Wenn Julia in die Stadt geht, ...	a	sitzt sie immer auf der linken Seite eines leeren Stuhls.
2	Wenn Julia zu Abend ißt , ...	b	drückt er immer die Daumen.
3	Wenn Julia über eine Brücke geht, ...	c	zieht Dirk einen Regenmantel an.
4	Wenn Dirk unter einer Leiter durchgeht, ...	d	trägt sie immer rote Gummistiefel.
5	Wenn Dirk auf dem Bürgersteig geht, ...	e	bleibt sie immer auf der linken Seite der Straße.
6	Wenn jemand einen Regenschirm drinnen aufklappt, ...	f	tritt er nie auf die Ritzen.

6 Und du?

Sind deine Klassenkameraden abergläubisch? Mach
eine Untersuchung und mach Notizen in dein Heft.
Beispiel

A Bist du abergläubisch? **B** Ein bißchen ...

7 Jetzt bist du dran!

Jetzt beschreib die Aberglauben deiner
Klassenkameraden schriftlich.
Beispiel
Wenn Charlie in sein Zimmer geht, ...

1 📼 Ninas Geheimnis

Nina und Trudi rufen sich an. Sie haben beide neue Freunde kennengelernt. Hör gut zu. Was haben sie gemacht? Trag die Tabelle in dein Heft ein und schreib die Namen in die richtige Spalte auf.

	Schwimmen	Radfahren	Disco	In-line Skates	Eis	Zelten	Jahrmarkt
MO							Nina
DI							
MI							
DO							
FR							

2 Tagebuch für die Woche

Jetzt sieh dir die Ergebnisse zu ‚Ninas Geheimnis' an und schreib ein Tagebuch über die Woche, entweder für Nina oder für Trudi.
Beispiel
Nina: Mo. Wir sind auf den Jahrmarkt gegangen ...

3 Partnerarbeit

Stell dir vor, du bist Nina oder Trudi. Sag, was du an einem bestimmten Tag gemacht hast. Wie schnell kann dein/e Partner/in sagen, wer du bist? Dann macht es umgekehrt.
Beispiel

A Am Mittwoch bin ich schwimmen gegangen.　　　**B** Nina?

A Ja. Jetzt bist du dran.

4 Rendezvous mit einer Unbekannten

Gregor hat ein Rendezvous mit einer Unbekannten gehabt. Lies seinen Brief an seinen Freund Jörn.

5 Perfekt?

Wie viele Partizipien im Perfekt kannst du im Brief oben finden? Mach eine Liste.

Beispiel

erlebt, ...

6 Stimmt das?

Schreib die falschen Sätze richtig auf!

Beispiel

1 Falsch. Gregor fühlt sich traurig.

1 Gregor fühlt sich glücklich.
2 Der Treffpunkt war hinter dem großen Brunnen am Marktplatz.
3 Gregor hat einen schönen Nachmittag gehabt.
4 Beim Angeln haben sie viele Fische gefangen.
5 Im Kino haben Silke und Gregor einen Film über Fische gesehen.
6 Bei Silke haben sie CDs angehört.

Lieber Jörn! Adenau, den 8. Juli

Gestern habe ich ein Abenteuer erlebt. Heute bin ich unglücklich ...

Vor ein paar Tagen hat Andreas gesagt, er kenne ein ideales Mädchen für mich. Gestern hat er ein Rendezvous für mich und Silke organisiert.

Der Treffpunkt war Mittag unter der großen Uhr am Bahnhof. Ich mußte ein Mädchen suchen, mit einer Jeansjacke und ‚Mike‘ Sportschuhen an. Um zwölf Uhr ist so ein Mädchen vorbeigegangen. ‚Bist du Silke?‘ habe ich gefragt. ‚Ja‘ hat sie gesagt und ich habe mich vorgestellt. Dann habe ich den schlimmsten Nachmittag meines Lebens gehabt. Silke mag sehr gerne Fisch ...

Wir haben Fisch zum Mittagessen gehabt. Dann sind wir angeln gegangen. Aber wir haben nichts gefangen. Nach zwei Stunden sind wir ins Kino gegangen und wir haben einen Film über Fische gesehen. Danach sind wir zu ihr nach Hause gegangen und wir haben uns ihre CDs angehört. Ihre Lieblingsgruppe? Haifisch!

Nach vier furchtbaren Stunden bin ich nach Hause gelaufen. Dort habe ich eine Nachricht von Andreas auf meinem Anrufbeantworter gefunden. Es tut Silke leid, aber sie ist krank und kann heute nicht ausgehen!

Schreib bald wieder!

Dein

Gregor

7 Silkes Standpunkt

Wie hat Silke den Tag gefunden? Hat sie ihren ‚Traummann‘ kennengelernt? Schreib einen Brief von Silke an ihre beste Freundin!

Beispiel

Adenau, den 8. Juli

Liebe Renate!

Gestern ist mir etwas Erstaunliches passiert. Am Bahnhof hat ein Junge sich vorgestellt ...

Du hast die Wahl

1 Aberglauben, Aberglauben ...

Erfind deinen eigenen Aberglauben. Illustriere ihn, wenn du möchtest.
Beispiel
Wenn ich einen Lehrer sehe, springe ich aus dem Fenster ...

2 Detektivagentur

Du beobachtest eine Woche lang einen Verdächtigen. Er hat eine Wohnung am Marktplatz. Beschreib, was er während der Woche macht.
Beispiel
Wenn er aus der Wohnung kommt, ...

3 ▭ Wer spricht?

Hör gut zu. Mit wem spricht Julia jedesmal?
Beispiel
1   d

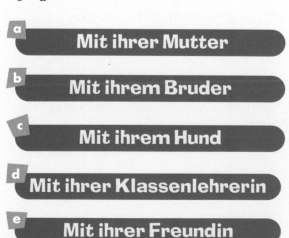

a Mit ihrer Mutter

b Mit ihrem Bruder

c Mit ihrem Hund

d Mit ihrer Klassenlehrerin

e Mit ihrer Freundin

4 ▭ Brasilien

Hör dir die nächste Episode der Serie an.

5 ▭ Stupsi und das brennende Haus

Ein brennendes Haus. Eine Katze drin. Kein Problem für die Feuerwehr? Hör gut zu und ordne die Bilder ein.
Beispiel
3, ...

1

2

3

4

Zusammenfassung

Grammatik

Lieber/am liebsten ...

ich	würde	lieber/am liebsten ...
du	würdest	lieber/am liebsten ...
er/sie/es	würde	lieber/am liebsten ...
wir	würden	lieber/am liebsten ...
ihr	würdet	lieber/am liebsten ...
Sie	würden	lieber/am liebsten ...
sie	würden	lieber/am liebsten ...

Ich würde lieber ...

Was würdest du lieber machen?	Ich würde lieber Englisch lernen.
Was würde er am liebsten machen?	Er würde am liebsten in den Park gehen.

Wenn

Wenn das Wetter schön **ist, treffen** wir uns vor der Kirche.
Wenn es **regnet, treffen** wir uns im Jugendklub.
Wenn ich auf dem Bürgersteig **gehe, trete** ich nie auf die Ritzen.

Jetzt kannst du . . .

Vorschläge machen und Ausreden benutzen

Wollen wir ins Kino gehen?

Möchtest du mit mir spazierengehen?

Ich habe Kopfschmerzen.

Ich putze mein Zimmer.

Shall we go to the cinema?

Would you like to go for a walk with me?

I have a headache.

I'm tidying my room.

sagen, was du lieber/am liebsten machen würdest

Ich würde lieber etwas anderes machen.

Ich würde lieber in einem Büro arbeiten.

Ich würde am liebsten Taxi fahren.

I'd rather do something else.

I'd rather work in an office.

Most of all I would like to drive a taxi.

Treffpunkte ausmachen

Wenn die Sonne scheint, treffen wir uns vor der Kirche.

Wenn es regnet, treffen wir uns im Supermarkt.

If the sun's shining, we'll meet in front of the church.

If it's raining, we'll meet in the supermarket.

über Aberglauben zu diskutieren

Wenn ich in die Stadt gehe, trage ich immer rote Gummistiefel.

Wenn ich auf dem Bürgersteig gehe, trete ich nie auf die Ritzen.

When I go into town, I always wear red wellingtons.

When I walk along the pavement, I never tread on the cracks.

8 Kleider machen Leute

Hier lernst du ...

Ich habe mein Portemonnaie verloren. Es ist aus Leder.

über verlorene Sachen zu sprechen

Nee. Die schwarze paßt mir nicht. Darf ich die blaue anprobieren?

neue Sachen zu kaufen

Wenn ich in die Disco gehe, ziehe ich mir oft etwas Schickeres an.

über Kleidung zu reden

1 ▭ Die Motorradschlüssel

Hör gut zu und lies die Bildgeschichte.

auf den Tisch   hier im Haus

neben den Bierflaschen

hinter dem Fernseher

cool   gestohlen

in der Küche

2 Keine Panik!

Füll die Lücken aus. Benutz die Wörter links.
Beispiel
1   cool

‚Bleib ____1____ ', habe ich gesagt. ‚Hast du die Motorradschlüssel ____2____ gelegt?', aber sie waren nicht da. Wir haben überall gesucht: an der Wand, vor dem Fernseher, ____3____, zwischen dem Fernseher und der Stereoanlage. Überall. ‚Hast du sie irgendwo ____4____ liegenlassen?' habe ich gefragt, aber sie waren auch nicht da: nicht neben dem Kühlschrank, nicht ____5____, nicht über dem Kühlschrank. ‚Keine Panik', habe ich gesagt. ‚Du hast die Schlüssel irgendwo ____6____ verloren.' Aber Monika hatte die Motorradschlüssel die ganze Zeit. Monika hat sie ____7____.

3 Wo sind meine Autoschlüssel?

Jemand hat … gestohlen.

Ich habe … liegenlassen.

Ich habe … verloren.

Benutzt die Sprechblasen links. Bildet Dreier- oder Vierergruppen und macht ein Kettenspiel.
Beispiel
A: Jemand hat meine Autoschlüssel gestohlen …
B: Jemand hat meine Autoschlüssel und meinen Fotoapparat gestohlen …
C: Jemand hat meine Autoschlüssel, meinen Fotoapparat und meinen Paß gestohlen …

Lerntip

Diese Präpositionen + Akkusativ oder Dativ
an auf hinter in neben über unter vor zwischen

Wohin? → Akkusativ				Wo? → Dativ		
Ich habe sie	an auf unter zwischen	die Wand den Tisch das Sofa die Bücher	gehängt. gelegt. getan. gestellt.	Sie sind	an auf unter zwischen	der Wand. dem Tisch. dem Sofa den Büchern.

4 Wo sind die Flugtickets?

Lies die Sätze unten und schreib einen Dialog. Du mußt alle Sätze benutzen. Paß auf! Du brauchst mehr als diese acht Sätze, um einen guten Dialog zu schreiben.
Beispiel
A: Wo sind die Flugtickets?
B: Ich weiß es nicht. Wo hast du …

Nein. Das ist nicht möglich.	Wo hast du sie hingelegt?
Hast du sie irgendwo liegenlassen?	Ich habe meinen Videorecorder verloren.
Das glaube ich nicht!	Wo sind die Flugtickets?
Vielleicht hat jemand ihn gestohlen.	Die habe ich auch nicht gesehen.

Dann übe den Dialog mit einem Partner oder einer Partnerin und spiel ihn vor.

1 Sehr geehrte Frau Pascal!

Lies den Brief. Dann sieh dir die Bilder an und entscheid, was zusammenpaßt.

Beispiel

1   d, …

Frau A. Pascal   Clausthal-Zellerfeld, den 25. April
Hotel Maifeld, Innsbruck
Sehr geehrte Frau Pascal!

und das Essen hat uns sehr gut gefallen. Leider haben wir drei Gepäckstücke im Hotel Maifeld vergessen:

Im Zimmer 24 hat eine Schülerin ihren Koffer vergessen. Es ist ein brauner Koffer aus Leder. Der Koffer enthält einen alten Teddybären, eine gepunktete Bluse (blau und gelb), ein schwarzes T-Shirt, neue Ohrringe aus Silber, andere Kleidungsstücke, eine gestreifte Ente aus Holz und ein neues Portemonnaie aus Leder.

Im Zimmer 35 hat ein Schüler ein Portemonnaie auf dem Nachttisch vergessen. Es ist ein ziemlich neues Portemonnaie. Er hat auch eine Reisetasche im Zimmer liegenlassen. Es ist eine grüne Reisetasche aus Plastik mit dem Markennamen ‚Pantera'. In der Tasche waren ein dunkelblauer Pullover aus Wolle, eine schwarzweiße Jacke aus Baumwolle, ein altes Buch zum Thema ‚Vampire', ein hellblaues Plüschtier und eine alte Brille.

Im Zimmer 37 hat ein Schüler einen blauen Rucksack im Kleiderschrank gelassen. Im Rucksack waren

Wenn Sie zufällig diese Sachen gefunden haben, wäre ich Ihnen sehr dankbar, wenn Sie mich unter der angegebenen Nummer anrufen würden.

Mit freundlichem Gruß

K. Kahla

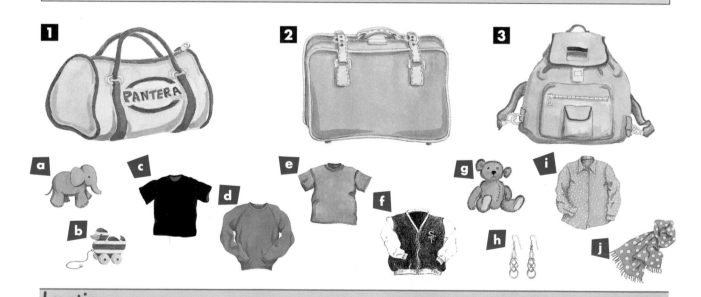

Lerntip

Adjektivendungen

	m.	**f.**	**nt.**
Nom.	ein rot**er** Rucksack	eine blau**e** Tasche	ein alt**es** Portemonnaie
Akk.	einen rot**en** Rucksack	eine blau**e** Tasche	ein alt**es** Portemonnaie
Nom.	neu**e** Ohrringe	verschieden**e** Kassetten	ander**e** Kleidungsstücke
Akk.	neu**e** Ohrringe	verschieden**e** Kassetten	ander**e** Kleidungsstücke

2 ▭ Bei der Polizei

Hör gut zu und sieh dir die Liste unten an. Welche
verlorenen Gegenstände sind da? Schreib jeweils
‚ja' oder ‚nein'.
Beispiel
1   ja

3 ▭ Noch etwas!

Hör noch einmal zu. Wo ist das
geschehen?
Beispiel
1   im Café gegenüber von der Post

Gefunden:			
Datum	Ort	Gegenstand	Bemerkungen
12.06	GS	Rucksack	blau, aus Nylon
12.06	GS	Portemonnaie	grün, aus Leder
12.06	GS	Ente	gelb, aus Holz
12.06	GS	Reisetasche	blau, Marke ‚Pantera'
12.06	GS	Fotoapparat	gelb, Marke ‚Kinon'
12.06	GS	Portemonnaie	braun, aus Leder
13.06	GS	Reisetasche	gelb, Marke ‚Pantera'
13.06	GS	Kassettenrecorder	schwarz, Marke ‚Rotpunkt'
13.06	GS	Rucksack	blau u. weiß, kariert, aus Nylon
14.06	GS	Kassettenrecorder	rot, Marke ‚Rotpunkt'
14.06	GS	Reisetasche	schwarz, aus Leder
14.06	GS	Rucksack	rot, aus Nylon

4 ▭ Können Sie ihn beschreiben?

Ein Tourist ist bei der Polizei. Lies die vier Teile des Dialogs. Wie ist die
richtige Reihenfolge? Dann hör gut zu. Die Lösung ist auf der Kassette.
Beispiel
a, …

a
– **Jemand** hat meinen Koffer gestohlen.
– *Können Sie ihn beschreiben?*
– **Leider nicht.** Er ist weggelaufen.
– *Was? Der Koffer ist weggelaufen?*

b
– Es ist ein alter Ring. Aus **Gold. 22 Karat.**
– *22 Karat. Natürlich. Ist das alles?*
– Ich glaube.

c
– *Und was war drin?*
– Ich hatte einen **roten Hut**, eine **gestreifte
Jacke**, ein **altes gelbes Hemd**, andere
Kleider und **einen Ring.**
– *Können Sie den Ring beschreiben?*

d
– Nein. Der Dieb ist weggelaufen. Ich kann ihn
nicht beschreiben, weil er weggelaufen ist.
– *Ich meine, wie sieht der Koffer aus?*
– **Braun.**
– *Aus Plastik oder aus Leder?*
– Aus **Leder** natürlich.

5 Partnerarbeit

Übe den Dialog oben mit einem Partner/einer Partnerin. Dann
erfind ähnliche Dialoge. Ändere die blaugefärbten Details.
Beispiel
Tourist: <u>Ein Dieb</u> hat meinen Koffer gestohlen.
Polizist: Können Sie ihn beschreiben?
Tourist: Ich weiß nicht. Er ist weggelaufen.

6 Ach, nein! Meine Tasche!

Du hast eine Tasche im Hotel Maifeld
(siehe Seite 98) liegenlassen. Schreib einen
Brief an Frau Pascal.

Lesepause

Verlorene Sachen in der japanischen U-Bahn

Pro Jahr verlieren die Fahrgäste in japanischen Zügen durchschnittlich 500.000 Regenschirme, 200.000 Schuhe und 250.000 Brillen. Japanische Züge, vor allem U- und S-Bahnen, sind vermutlich dichter mit Menschen bepackt als Züge sonst irgendwo auf der Welt.

In Bahnhöfen gibt es besonderes Personal, das die Aufgabe hat, die Fahrgäste in die Wagons zu stopfen. Kein Wunder, daß nicht nur Brillen verlorengehen sondern auch beträchtliche Mengen von künstlichen Gebissen und sogar Glasaugen.

Aus: **Das Buch der 1000 Sensationen** © 1993 Loewe Verlag GmbH, Bindlach

nur du

an einem kalten Sonntag im Herbst
auf der Autobahn nur Regen
hinter uns nur Scheinwerfer
in deinem Auto nur zwei Sitze
neben dir nur zwei Flugtickets
über uns nur der Himmel
unter uns nur die Erde
vor uns nur die Zukunft
zwischen uns nur die Vergangenheit

CHRISTINE FREUDENTHAL

GLÜCKSPILZ DER WOCHE
– eine 72jährige Frau

Salzburg – Anderthalb Stunden nachdem eine 72jährige Frau ihre Reisetasche mit Schmuck und Diamanten im Wert von öS 3 000 000 und öS 45 000 Bargeld auf dem Salzburger Bahnhof verloren hatte, gab ein ehrlicher Finder die Reisetasche beim Fund-büro ab und verschwand, ohne seinen Namen zu nennen. Nach Angaben der Beamten im Fund-büro soll der Finder wie Elvis Presley aussehen.

KLEINANZEIGEN

Hallo Ilkamaus! Ich liebe Dich und ich will Dich nie verlieren! Mario.

Für Cornelia, das liebste Mädchen auf der Welt. Ich liebe und vermisse Dich jeden Tag mehr! Viele tausend Küßchen. Basti.

Nicole! Dich werde ich nie vergessen! Dein Prinz.

Trixi grüßt eine total nervige Schülerin des Sophie-Scholl-Gymnasiums. Ja, Daniela Kutlakova. Du bist gemein.

Hallo mein Hase! Ich liebte Dich gestern, liebe Dich heute, und werde Dich auch morgen lieben. Knutsch. Deine KK.

Franky! Ruf mich doch mal an! Ich bin nervig, ich weiß, aber so will ich alles nicht hängenlassen. I. I. D! L.D.m? Sandy.

Hallo Schatzi, ich will Dir mal einfach danke sagen für die letzten 15 Monate: Es waren die schönsten meines Lebens. D.K.K.

Hi Zwiebel! Laß uns mal endlich 'was zusammen machen! Da finden wir sicher so manche kleine Kuriositäten. Ach, laß es uns endlich tun! Timo.

Räuber schluckt Geldschein

Buffalo, US-Bundesstaat New York: Eine Frau ist gerade aus dem Supermarkt gekommen, als ein Unbekannter ihr einen 50-Dollar-Schein raubt. Die Polizei ist schnell da und nimmt den Mann fest. Im Polizeiwagen versucht der Räuber, das Beweismittel zu vernichten und schluckt den Geldschein runter. Plötzlich läuft er blau an und beginnt zu röcheln. Die Polizisten bringen ihn schnell in ein Krankenhaus. Aber zu spät – erstickt.

Gelegenheit macht Diebe

Kaum jemand will beim Sport oder Hobby an Diebe denken. Langfinger wissen das und nutzen fast jede Gelegenheit blitzschnell aus. Ein einziger Griff beim Tennis oder im Schwimmbad genügt meist, um ein Portemonnaie zu erbeuten.

Fitneßprogramm für deine Wertsachen ...

! Nimm zum Sport nur mit, was du unbedingt brauchst.

! Benutze Schließfächer und abschließbare Schränke.

! Trage die Schlüssel dafür stets an deinem Körper.

! Falls du deine Wertsachen nicht in einem Schließfach deponieren kannst, behalte deine Sporttasche im Auge.

! Laß in Umkleideräumen keine Wertsachen zurück.

! Informiere das Personal, wenn du verdächtige Personen bemerkst.

Wir wollen, daß Sie sicher leben. Ihre Polizei

1 📼 Darf ich den roten anprobieren?

Hör gut zu und lies die Geschichte.

Lerntip

Adjektivendungen

	m.	f.	nt.	pl.
Nom.	der blaue Anorak	die blaue Hose	das blaue Hemd	die blauen Hemden
Akk.	den blauen Anorak	die blaue Hose	das blaue Hemd	die blauen Hemden

2 📼 Er paßt gut, aber er steht mir gar nicht

Hör gut zu. Welche Satzteile passen jeweils zusammen?
Beispiel
Sabine – 1c

Sabine

Nicole

Arif

Gabi

Marco

Michael

1	Die roten Sandalen passen gut, aber …	a	er ist billig.
2	Den blauen Rock probiert sie nicht an, weil …	b	es ist zu groß.
3	Die schwarzen Stiefel passen gut, aber …	c	sie stehen ihr nicht.
4	Die grüne Bluse will sie nicht anprobieren, weil …	d	es zu groß ist.
5	Der gepunktete Schlips gefällt ihm nicht, aber …	e	er zu teuer ist.
6	Das karierte Hemd steht ihm nicht, weil …	f	die Farbe zu hell ist.
		g	sie stehen ihm nicht.

3 Was kosten die Discohosen?

Übe den Dialog mit einem Partner oder einer Partnerin.
Dann erfindet neue Dialoge mit Hilfe der Kästchen.
Beispiel

A Kann ich Ihnen helfen?

B Was kosten die Anoraks aus Plastik?

Verkäufer/in:	Kann ich Ihnen helfen?
Kunde/Kundin:	Was kosten **die Blusen?**
Verkäufer/in:	300 Schilling.
Kunde/Kundin:	Ich möchte die gestreifte anprobieren.
Verkäufer/in:	Welche Größe haben Sie?
Kunde/Kundin:	Medium.
Verkäufer/in:	Paßt **sie?**
Kunde/Kundin:	Haben Sie **die in Groß?**
Verkäufer/in:	Bitte schön … o ja! **Sie** steht Ihnen perfekt. Das sieht ja wunderbar aus!

die Anoraks aus Plastik
die Discohosen aus Nylon
die Fußballhemden

den gestreiften
die gepunktete
das hellgrüne

Klein
Groß
Keine Ahnung

er
sie
es

ihn
sie
es

den in Klein
das in Medium
eine andere Farbe?

Kunde/Kundin: Ich mag **sie** nicht. **Sie** ist zu teuer.

Kunde/Kundin: Sie ist ganz toll. Ich nehme **sie**.

4 Anoraks aus Plastik verboten!

Schreib jetzt eine neue Version des Dialogs. Die folgenden Wörter sind verboten: Anorak, Discohose, Fußballhemd, kariert, gestreift, gepunktet, keine Ahnung, perfekt, wunderbar, teuer.
Beispiel

A Kann ich Ihnen helfen?

B Was kosten die italienischen Lederjacken?

1 Jasmin im Beruf und privat

Lies den Text und schlag unbekannte Wörter im Wörterbuch nach.

In letzter Zeit wollen immer mehr Mädchen Polizistin werden. Die 18jährige Jasmin Hagen besucht die größte Polizeischule in Niedersachsen. 800 Polizeischüler gibt es an der Schule. 40 Prozent davon sind weiblich.

,Seit einem Jahr gehe ich auf die Polizeischule. Einige Freundinnen von mir machen sich über mich lustig, weil ich jetzt eine Polizeiuniform trage. Mich stört es gar nicht, eine Uniform zu tragen. Ganz im Gegenteil. Schon mit 15 wollte ich Polizistin werden.

Für die Sportprüfung muß ich 5000 Meter in weniger als 33 Minuten laufen. Nach 400 Metern habe ich immer eine knallrote Nase. Beim Training darf man den eigenen Jogginganzug tragen. Es gibt keine bestimmte Polizeifarbe oder so was.

Meistens trage ich eine normale Polizeiuniform: ein gelbes Hemd, einen dunkelgrünen Schlips, eine dunkelgrüne Hose, graue Socken und schwarze Schuhe. Jungen und Mädchen tragen mehr oder weniger die gleiche Uniform. Die Mädchen dürfen etwas Make-up tragen. Ein bißchen Make-up trage ich immer. Bloß nicht zu viel. Ich habe auch eine eigene Dienstpistole, aber man darf sie nicht die ganze Zeit tragen. Nur beim Schießtraining.

Wenn ich abends ins Kino gehe, oder wenn Freunde zu Besuch kommen, sehe ich ganz normal aus. Am liebsten trage ich verwaschene Jeans und T-Shirts oder Blusen in dunklen Farben. Wenn ich in die Disco gehe, ziehe ich mir oft etwas Schickeres an: eine weiße Rüschenbluse oder manchmal ein schwarzes Kleid. Eigentlich trage ich gerne meine Polizeiuniform, aber ich würde nicht damit in die Disco reintanzen. Auch Polizistinnen haben ein Privatleben.'

2 Alles verstanden?

Schreib zehn Sätze über Jasmin. Benutz die Tabelle unten.

Beispiel

1   In der Schule trägt sie normalerweise ihre Uniform.

Abends	trägt sie	normalerweise	die eigenen Sachen.
Auch		nie	keine Pistole.
Wenn sie tanzen geht,		immer	schicke Kleidung.
Meistens		gerne	etwas Make-up.
Wie die anderen Polizeischüler		nur beim Schießtraining	ihre Uniform.
Wenn sie trainiert,		bei der Arbeit	alte Jeans.
Wenn Freunde vorbeikommen,		oft	keine Uniform.
In der Schule		die ganze Zeit	eine eigene Pistole.

3 🔲 Wenn Freunde zu Besuch kommen

Hör gut zu. Was paßt zusammen?

Beispiel

1   b

1 Annick

2 Christian

3 Murat

4 Jan

a trägt bei der Arbeit einen Trainingsanzug.

b trägt am liebsten schwarze Kleidung.

c trägt auch besondere Kleidung bei der Arbeit.

d hat in der Schule in England eine graue Uniform getragen.

e würde nie eine Uniform tragen.

4 Kleidung und du

Trägst du in bestimmten Situationen besondere Kleidung? Lies den Artikel ‚Jasmin im Beruf und privat' (Seite 104) noch einmal und mach Notizen über dich selbst. Benutz womöglich Sätze aus dem Artikel und verändere sie.

Beispiele

Wenn ich mit Freunden ausgehe, trage ich normalerweise …

Beim Training trage ich …

In der Schule …

Bei der Arbeit …

Am liebsten …

Mich stört es (nicht), … zu tragen.

Ich trage (nicht) gerne …

Dann benutz deine Notizen und schreib einen Artikel über dich selbst.

5 Präsentation

Mach eine Präsentation zum Thema ‚Meine Kleidung'.

Benutz deine Notizen für den Artikel oder lern den Artikel auswendig.

👤 Du hast die Wahl

1️⃣ Das würde ich nie tragen!

Was würdest du nie tragen? Mach eine Liste.

Beispiel

Die folgenden Sachen würde ich nie tragen:
einen gestreiften Pulli aus Nylon; eine Unterhose aus Holz …

2️⃣ Uniform für Lehrer!

Entwirf eine Uniform für die Lehrer und Lehrerinnen an deiner Schule!

Beispiel

Die Lehrer müssen eine gelbe Hose aus Nylon tragen. Sie dürfen keine Jeans tragen.

3️⃣ Katrin Stoph: Katastrophe

Schreib einen kurzen Artikel über Polizeischülerin Katrin Stoph (17).

Beispiel

Normalerweise trägt sie in der Polizeischule verwaschene Jeans und viel Make-up.

4️⃣ 📼 Aussprache

Hör gut zu und wiederhole:

Meine vierzig Franken habe ich verloren.
Deine dreißig Dollar hat man gestohlen.
Seine sechzig Schilling hat er vergessen.
Im Café haben wir nicht gegessen.
Oder gesessen.

5️⃣ 📼 Brasilien

Hör dir die achte Episode der Serie an.

6️⃣ 📼 Mord im Schloß Blautstein

Polizeikommissar Lindemann spricht mit dem Personal vom Schloß Blautstein. Sieh dir das Personal genau an und hör gut zu. Wer ist der Mörder?

a **Andreas Akkermann**

b **Berthi Blaufeld**

c **Cornelius Cuxmann**

d **Dieter Dilger**

Zusammenfassung

Grammatik

Präpositionen + Akkusativ/Dativ
an auf hinter in neben über unter vor zwischen

Wohin? →	**Akkusativ:**	Ich habe sie auf **den** Tisch gelegt.
Wo? →	**Dativ:**	Sie sind auf **dem** Tisch.

Adjektivendungen im Nominativ und Akkusativ

	m.	**f.**	**nt.**	**pl.**
Nom.	ein alt**er** Rock	eine alt**e** Bluse	ein alt**es** Hemd	alt**e** Ohrringe
Akk.	einen alt**en** Rock	eine alt**e** Bluse	ein alt**es** Hemd	alt**e** Ohrringe

	m.	**f.**	**nt.**	**pl.**
Nom.	der alt**e** Rock	die alt**e** Bluse	das alt**e** Hemd	die alt**en** Ohrringe
Akk.	den alt**en** Rock	die alt**e** Bluse	das alt**e** Hemd	die alt**en** Ohrringe

Jetzt kannst du . . .

über verlorene Sachen sprechen

Jemand hat meine Kamera gestohlen! — Someone has stolen my camera!

Wo habe ich sie hingetan? — Where have I put it?

Du hast sie zu Hause auf dem Tisch liegenlassen. — You've left it on the table at home.

verlorene Sachen beschreiben

Es ist ein roter Rucksack aus Nylon. — It's a red nylon rucksack.

Ich habe meine grüne Sporttasche verloren. — I've lost my green sports bag.

Die Tasche ist aus Leder/Plastik/Baumwolle. — The bag is made of leather/plastic/cotton.

neue Sachen kaufen

Darf ich den blauen anprobieren? — May I try the blue one on?

Die schwarze paßt mir nicht. — The black one doesn't fit me.

Haben Sie das in Medium? — Have you got that in medium?

über Kleidung reden

Mich stört es gar nicht, eine Uniform zu tragen. — Wearing a uniform does not bother me.

Die Mädchen dürfen etwas Make-up tragen. — The girls are allowed to wear some make-up.

Man darf den eigenen Jogginganzug tragen. — You're allowed to wear your own track-suit.

Wenn ich in die Disco gehe, trage ich etwas Schickeres. — When I go to the disco I wear something smarter.

Am liebsten trage ich verwaschene Jeans. — I like wearing faded jeans most of all.

Lesepause

Die Griechin Agathi (16) ist in Deutschland geboren und aufgewachsen. Trotzdem darf sie nicht ohne weiteres alle Klamotten tragen, die ihr gefallen: ‚Ich würde gerne öfter mal Miniröcke und tolle Lederjacken anziehen. Aber, weil mein Vater dagegen ist, weiß ich gar nicht, wie mir solche Sachen stehen.'

vorher

Wir haben sie ins Studio eingeladen und ihr auch noch gleich Tips gegeben, wie sie modisch aussehen kann und trotzdem ihrem Vater gefallen wird. Agathi war ganz begeistert. Besonders toll hat sie die Kombi mit Lederjacke gefunden. ‚Wenn ich ausgehen darf, dann nicht ohne meinen Bruder. Im Minikleid muß ich aber an meinem Vater vorbeischleichen …

Jeans total

Das gefällt bestimmt auch ihrem Vater; übers bunte T-Shirt paßt die knappe Jeansweste. Dazu: Blue Jeans.

Mini

Das rote Minikleid hat Agathi ganz toll gefunden. So gestylt möchte sie mit ihrem Bruder ausgehen. Ihr Vater darf sie allerdings in diesem Outfit nicht sehen.

cool in Leder

In diesem Outfit fühlt sich Agathi am wohlsten: knallblaue Jeansweste und Hose als Farbkontrast zur schwarzen Lederjacke.

Lederjacken darf ich nicht tragen

Gesund wie eine kalte Dusche

VON THOMAS MAIER

Endlich ist der Sommer da. Die Temperatur steigt, die Blumen blühen, und die Sandalen laufen wieder herum. Die berühmten Sandalen. Seit Jahrzehnten tragen wir das gleiche Modell. Und sie sind häßlich.

Ich frage mich: Warum sind unsere Sandalen so häßlich? Warum sind sie so unschön, aber so erfolgreich?

Naja, sie sind bequem, sehr robust, und sie sind aus gutem Material. Das verstehe ich. Aber warum nicht schön und bequem? Warum immer häßlich und bequem?

Glauben wir, daß sie robust sind, gerade weil sie so häßlich sind? Würden wir sie nicht kaufen, wenn sie schön wären?

Und es geht nicht nur um die Sandalen. Oft sieht man in häßlichen Sandalen auch noch häßliche Socken, manche sogar aus dicker Wolle. Für mich ist das ein Verbrechen. Warum überhaupt Socken, wenn es warm ist? Die Erklärung, die ich am häufigsten bekomme: Socken in Sandalen sind gesund. Ja, gesund wie eine kalte Dusche am Morgen oder Müsli zum Mittagessen.

Wie feiert man bei euch den Schulabschluß?

Wir machen den Schulabschluß nach zwölf Jahren. Die Jungen tragen feine Anzüge. Die Mädchen tragen schöne teure Kleider. Wir treffen uns in einem Hotel, und es gibt ein Essen und einen Tanz. Nach der Schule gibt es etwas Besonderes: ‚Schoolies week' — die Woche der Schüler.
Die meisten fahren zum Strand und verbringen die Woche am Meer. Man liegt in der Sonne, man schwimmt, trifft sich mit Freunden und geht abends in Discos oder Nightclubs. Wir versuchen, die ganze Schulzeit zu vergessen.
Mike Lewis, Australien

Ich besuche eine Berufsschule in Prag. Am Ende des Schuljahres gibt es eine Modenschau. Studenten aus unserer Fachschule nähen alle Modelle. Auch die Mannequins sind Schülerinnen. Außerdem gibt es eine Wahl zur ‚Miß Hexe'. Da wird die ‚schönste' Hexe gesucht. Jede Teilnehmerin verkleidet sich und muß auch etwas erzählen. Oft treten sie mit Rock'n'Roll-Tänzen auf.
Lida Vitkova, Tschechien

Am letzten Tag nehmen die Schüler der achten Klasse Abschied von der Schule. Sie sind elegant gekleidet. Niemand trägt Jeans. Die Jungen tragen vorwiegend dunkle Anzüge mit Krawatten. Die Mädchen haben dunkle Röcke und schwarze Blusen an. Es gibt kurze Ehrungen der besten Schüler und Sportler. Manchmal machen die Schüler einige Tage vor dieser Feier eine Art Karneval. Sie verkleiden sich und karikieren die Lehrer und das Abschlußfest.
Josef Takacs, Ungarn

9 Kannst du mir helfen?

Hier lernst du ...

Wollen wir Ludwig einladen?

Nein! Er bleibt immer zu lange nach der Party.

über die Gästeliste für eine Party zu sprechen

Du wirst zu einer Party eingeladen.

Bring bitte etwas zum Essen mit!

Partyeinladungen zu verstehen und zu schreiben

Ich kann den Keller aufräumen.

Und ich kann die Möbel nach oben schleppen.

zu sagen, was du vor einer Party machen mußt

Die schlimmste Party meines Lebens war eine Party mitten im Sommer ...

gute und schlechte Partys zu beschreiben

Claudia Detlev
Herbert Habiba Bodo
Steffi Christina

1 Die Party

Stefan und Sabrina geben eine Party. Welche Gäste wollen sie einladen?
Hör gut zu. Schreib für jede Person ‚ja' oder ‚nein' auf.
Beispiel
Claudia – ja

2 Noch etwas!

Hör noch mal zu. Welches Symbol paßt zu wem?
Beispiel
Claudia – e

3 Quiz

Sieh dir deine Antworten zu ‚Noch etwas!' an und mach das Quiz unten.
Beispiel
1 Detlev

1 Welcher Junge hat Stefan und Sabrina zu seiner Party eingeladen?
2 Welcher Gast mag nur furchtbare Gruppen?
3 Welches Mädchen bleibt immer zu lange nach der Party?
4 Welche Person hat einen Verstärker?
5 Welches Mädchen ißt und trinkt immer alles weg, was es gibt?
6 Welche Gäste sind nicht mehr zusammen?

Lerntip

Welcher/welche/welches im Nominativ
m. Welch**er** Gast ... ?
f. Welch**e** Person ... ?
n. Welch**es** Mädchen ... ?
pl. Welch**e** Gäste ... ?

4 Und du?

Welche berühmten Leute würdest du einladen oder NICHT einladen? Warum? Erfind deine eigene Gästeliste und begründe sie. Dann mach ein ‚Welche Person-Quiz‘ mit deinem Partner/deiner Partnerin.

Beispiel

> Gästeliste
> Ja   Nein
> Andreas ‚Düki‘ Düking (siehe Seite 61)   …
> (hat einen Verstärker)

A Welcher Gast hat einen Verstärker?

B Andreas ‚Düki‘ Düking.

5 Partyeinladungen

Lies Stefans Partyeinladungen. Sind die Fragen unten richtig oder falsch?

Beispiel

1   richtig

a FASCHINGSDIENSTAG BEI STEFAN!

Du wirst zu einem RIESIGEN Maskenball eingeladen.

Du darfst keinesfalls in langweiliger Kleidung kommen!

Bring bitte auch etwas zu trinken mit.

Zeit: Faschingsdienstag, von acht bis spät!

Ort: Im Keller, Bahnhofstraße 47.

Sag mir bitte Bescheid, falls Du nicht kommen kannst.

b •STEFANS ABSCHIEDSPARTY!•

Stefan zieht um (schluchz-schluchz!), aber er feiert seinen Abschied mit einer GROSSEN PARTY!

Komm vorbei!

Bring bitte etwas zum Essen und einen Partner/eine Partnerin mit!

Zeit: Samstagabend, ab 21.00 Uhr bis Mitternacht.

Ort: Stefans Zimmer, Bahnhofstraße 47.

Ruf an, falls Du nicht kommen kannst!

c SCHULANFANGSPARTY!

Wir laden Dich zu einer unvergeßlichen Party zum Schulbeginn ein!

Am ersten Tag des Schuljahres findet diese Party in der Aula statt.

Alle sind eingeladen (außer den Lehrern!!)

Bring etwas zum Essen und Trinken mit!

Wir sorgen für die Musik und die Leute!

Kleidung: Etwas Ausgefallenes!

Zeit: Halb neun am Abend des ersten Schultages.

d WEIHNACHTSPARTY BEI STEFAN!

Dieses Jahr gibt es unsere allergrößte Weihnachtsparty im Keller der Bahnhofstraße 47.

Thema: Wilde Tiere! Komm in ‚Wildtierkleidung‘ und bring ein anderes ‚Wildtier‘ mit!

Wir sorgen für die Getränke, aber du mußt ‚Wildtierfut (d.h. Nüße, Lebkuchen, Stollen, usw.) mitbringen.

Zeit: Ab 19.00 Uhr Freitag, bis Samstagmorgen!

Über eine Zusage bis zum 12. Juli würden wir uns freuen

1   Stefans Maskenball findet in einem Keller statt.
2   Die Abschiedsparty fängt um 21.00 Uhr an.
3   Die Schulanfangsparty findet in Stefans Zimmer statt.
4   Die Lehrer sind zur Party zum Schulbeginn eingeladen.

5   Stefans Maskenball fängt um acht Uhr abends an.
6   Die Abschiedsparty endet um 23.00 Uhr.
7   Die Weihnachtsparty ist nur für Elefanten, Tiger, Löwen, usw.
8   Zur Weihnachtsparty müssen die Gäste Getränke mitbringen.

6 Jetzt bist du dran!

Schreib deine eigene Partyeinladung. Wann und wo findet die Party statt? Was für eine Party ist es? Was muß man mitbringen, tragen, usw.?

Beispiel

Osterparty bei Antonia!
Du wirst zu meiner Osterparty eingeladen …

1 📼 Kannst du mir helfen?

Jetzt bereiten Stefan und Sabrina ihre Party vor.
Hör gut zu und ordne die Bilder ein.
Beispiel
c, …

   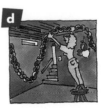 

2 📼 Noch etwas!

Hör noch mal zu. Wer macht was?
Beispiel
c – Sabrina

3 Ach – die Liste!

Stefans Liste liegt hinter dem Sofa! Sieh dir die Liste an.
Was hat er vergessen?
Beispiel
1, …

1 Rausschmeißer organisieren (Achtung! **Dieter** muß wegbleiben)
2 Möbel nach oben schleppen und Keller mit Papierschlangen dekorieren
3 Nachbarn informieren
4 DJ buchen
5 Spinnen und Spinnennetze loswerden! (Volker hat Angst vor Spinnen!)
6 Musik auswählen (Achtung! Hexenhammer-Kassetten finden!)
7 Verstärker leihen
8 Lichtanlage organisieren
9 Papierteller kaufen und Gläser ausleihen
10 Eltern loswerden! (Aber wie??)

Achtung!
Bei Listen und Hinweisen:
Verb in Infinitivform **am Ende** des Satzes!

Disco **buchen**
Keller **aufräumen**

4 Partnerarbeit

Schaut nicht ins Buch. Wechselt euch ab, die Sachen auf Stefans Liste zu nennen. Wer nichts sagen kann, verliert.
Beispiel

A DJ buchen, …   **B** Eltern loswerden, …

5 Jetzt bist du dran!

Stell dir vor, du machst eine Party. Schreib deine eigene Liste mit Sachen, die du vorher machen mußt.
Beispiel
Mein Zimmer aufräumen, …

6 Hast du ein gutes Gedächtnis?

Kannst du folgende Leute identifizieren, ohne ins Buch oder auf deine Notizen zu schauen?

Beispiel
1 Sabrina

1 Wer sagt, daß er/sie die Papierteller kaufen kann?
2 Wer sagt, daß er/sie Claudia eingeladen hat?
3 Wer sagt, daß er/sie die Möbel nach oben schleppen kann?
4 Wer sagt, daß er/sie den Keller mit Papierschlangen dekorieren kann?
5 Wer sagt, daß seine/ihre Eltern mit Stefans Eltern gut auskommen?
6 Wer sagt, daß seine/ihre Eltern Stefans Eltern in ihren Gasthof einladen können?

Lerntip

Daß

Er sagt, **daß** seine Eltern mit Stefans Eltern gut **auskommen**.
Er sagt, **daß** er Claudia **eingeladen hat**.
Sie sagt, **daß** sie den Keller aufräumen **kann**.

---

7 KLARO-Umfrage

Lies die Ergebnisse der Umfrage unten und füll die Lücken aus.

Beispiel
1 10% sagen, daß sie gerne selber zur Party kommen.

KLARO-UMFRAGE

Was denken deine Eltern über Partys? In unserer großen Umfrage haben wir herausgefunden, daß die meisten Eltern im allgemeinen nichts gegen Partys haben – aber, aber, aber ...!

27% der interviewten Eltern sagen, daß sie es am besten finden, wenn die Party in ihrem eigenen Haus stattfindet. 39% meinen andererseits, daß alle Partys am besten irgendwo anders stattfinden! 50% meinen, daß es besser ist, wenn die Party vor Mitternacht zu Ende ist.

Einige Ergebnisse der Umfrage sind überraschend: 72% sagen, daß sie nichts gegen laute Musik haben (solange die Nachbarn sich nicht beschweren!).
Nur 10% sagen, daß sie gerne eine Einladung bekommen – 70% sagen, daß sie während einer Party am liebsten weggehen würden.

1 ___% sagen, daß sie gerne selber zur Party kommen.

2 ___% sagen, daß sie es besser finden, während der Party nicht da zu sein.

3 ___% meinen, daß Partys am besten nicht in ihrem eigenen Haus stattfinden.

4 ___% sagen, daß sie Partys am liebsten bei ihnen zu Hause haben.

5 ___% sagen, daß sie laute Musik in Ordnung finden – solange die Nachbarn nichts dagegen haben.

6 ___% meinen, daß die Party vor Mitternacht enden sollte.

8 Kannst du mir helfen?

Du gibst eine Party. Was mußt du vorher machen? Schreib eine Liste und dann befrag deine Mitschüler/innen, wer was machen kann.
Dann schreib in dein Heft, wer was sagt.

Beispiel

A Kannst du bitte die Papierteller kaufen, Olivia? **B** Ja, gerne.

(Im Heft) Olivia sagt, daß sie die Papierteller kaufen kann.

Lesepause

Diese Frage haben wir Jugendlichen überall gestellt. Womit bist du am meisten einverstanden?

Was sind die Zutaten für eine gute Party?

Die Zutaten für eine gute Party? So was existiert nicht. Partys mag ich überhaupt nicht. Sie finden gewöhnlich nur statt, um eine Ausrede fürs Knutschen zu haben! Und was macht man überhaupt auf den meisten Partys? Nichts! Man steht drei oder vier Stunden im Dunkeln rum und Paare schwofen hin und her. Die meisten Leute, die auf eine Party gehen, suchen eine Freundin oder einen Freund — und wenn sie sie oder ihn gefunden haben, reden sie mit niemand anderem!

Man kann sowieso mit niemandem sprechen, weil die Musik so unheimlich laut ist. Und man geht bestimmt nicht zu einer Party, um zu essen — das Essen ist immer dasselbe. Feuchte Kartoffelchips, labberige Würstchen, Nudelsalat (es gibt immer einen Nudelsalat, weißt du!) und vielleicht ein paar Nachtische.

Die Musik ist immer ähnlich — englische oder amerikanische Tanzmusik, nur zum Knutschen geeignet. Solche Musik gefällt mir nicht!

Partys — nein danke! Ich bleibe lieber zu Hause!

Michael K., 15, Vaduz, Liechtenstein

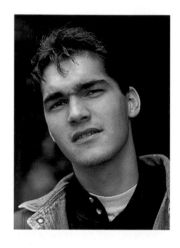

Für mich muß eine gute Party an einem interessanten Ort stattfinden! So viele Partys gibt man in einem Keller, einer Aula, im Wohnzimmer oder irgendwo ähnlich Langweiliges! Aber so etwas macht mir überhaupt keinen Spaß! Die beste Party meines Lebens war in einem alten Bus in den Alpen! Ein paar meiner Freunde hatten den Bus gemietet (mit Fahrer, natürlich — einen Busführerschein hatte niemand von uns), und sie hatten ihn hoch in die Berge fahren lassen. Da war es unmöglich, keinen Spaß zu haben! Und außerdem war die Landschaft wunderschön und das Wetter perfekt.

Aber nicht alle Partys können bei Mondlicht in den Alpen stattfinden! Andere Möglichkeiten wären: in einem Boot auf dem Rhein (am schönsten bei Koblenz!); in einem Flugzeug; in einem alten Schloß, usw., usw. In einem Heißluftballon wäre auch toll, aber es wäre vielleicht nicht genug Platz.

Die anderen Zutaten sind für mich nicht so wichtig. Wenn der Ort richtig ist, ergibt sich alles andere von selbst. Gute Musik, vielleicht, gutes Essen, nette Leute, gute Getränke, usw. Aber ... lad mich nicht ein, wenn die Party irgendwo stattfindet, wo es langweilig ist!

Josef G., 15, Garmisch-Partenkirchen, Bayern

Was sind die Zutaten für eine gute Party? Für mich sind es viele — gutes Wetter, gutes Essen, gute Gesellschaft, ein guter Ort, gute Getränke, usw. Aber am wichtigsten ist, daß man etwas Interessantes macht. Bei so vielen Partys steht man im Dunkeln und hört so laute Musik, daß man kaum sprechen (oder sogar denken) kann!

Für mich ist also die wichtigste Zutat einige gute Spiele! Es ist nicht wichtig, was für Spiele es sind, solange es Spiele gibt. Zum Beispiel, Suchspiele, Wortspiele, usw. Wenn es gute Spiele gibt, spricht jeder gleich mit jedem — ohne sie bleibt die Atmosphäre oft zu kühl!

Martin L., 15, Linz, Österreich

Für mich ist es nicht sehr wichtig, was es auf einer bestimmten Party zu tun gibt. Die Musik, das Essen, die Leute, der Ort, usw. sind mir ganz egal — solange mein Freund dabei ist!

Kirsten W., 16, Weimar

Diese Frage ist für mich ganz leicht zu beantworten! Natürlich ist die wichtigste Zutat für eine gute Party das Essen und die Getränke! Es lohnt sich nicht, auszugehen, wenn man nichts Gutes zu essen und zu trinken bekommt. Dann kann man genausogut zu Hause bleiben. Für mich ist es auch wichtig, daß man viel zu essen und zu trinken bekommt — wenn nicht, spart man kein Geld. Wenn ich auf eine Party gehe, versuche ich gewöhnlich soviel zu essen, daß ich am nächsten Tag nichts essen muß. Kartoffelchips, Würstchen, Brötchen und andere Snacks sind bloß eine Zeitverschwendung. Am liebsten esse ich große Gerichte wie Nudelsalate, Eintöpfe, Schnitzel, Torten, Kuchen, usw. Bei den besten Partys gibt es ein Buffet — dann kann man den ganzen Abend essen und trinken, ohne mit langweiligen Leuten tanzen oder reden zu müssen.

Birgit, 20, Dingolfing, Bayern

1 📼 Probleme!

Heute ist die Party. Aber es gibt einige Probleme! Hör gut zu, bis du einen Ton hörst, dann mach die erste Übung unten. Danach hör weiter zu, bis du den nächsten Ton hörst, dann mach Übung 2, usw.

Beispiel

1 Problem: a

   Lösung: a? Oder b? Oder ... ?

1 Ah! Ein Problem! Was ist es? Und was würdest du machen?
Hör gut zu, erkenne das Problem und wähl die beste Lösung aus.

Problem:

a Stefan hat seine Kassetten nicht gefunden.

b Der DJ ist zu spät gekommen.

c Der Kassettenrecorder ist kaputt.

Lösung:

a Ich würde den ganzen Abend 70er-Jahre-Musik hören.

b Ich würde sofort neue Kassetten kaufen.

c Ich würde sofort nach Hause gehen.

> **Jetzt hör weiter zu. Die Party fängt in einer Stunde an – aber die ersten Gäste sind schon da.**

2 Noch ein Problem! Was ist es? Und was würdest du diesmal machen?

Problem:

a Helga hat ihre Brille zu Hause vergessen und kann deshalb nichts sehen.

b Es gibt keine Lichtanlage.

c Das Licht im Keller funktioniert nicht richtig.

Lösung:

a Es ist nicht wichtig. Ich würde Kerzen benutzen – Partys sind sowieso im Dunkeln besser.

b Ich würde das normale Licht benutzen, aber die Atmosphäre wäre schlecht.

c Es würde keine Party geben. Ich würde alle Gäste nach Hause schicken.

> **Jetzt hör weiter zu. Die Party kommt in Schwung.**

3 Was ist das dritte Problem? Und wie würdest du es lösen?

Problem:

a Volker hat Angst im Dunkeln.

b Volker hat Angst vor der Musik der 70er.

c Volker findet eine Spinne.

Lösung:

a Es macht nichts. Volker kann nach Hause gehen.

b Ich würde alle Spinnen sofort zerquetschen und die Spinnennetze wegmachen.

c Es ist grausam, Spinnen zu töten. Deshalb würde ich alle Spinnen sehr sorgfältig mit Gläsern aufsammeln und sie nach draußen tragen.

> **Jetzt hör weiter zu. Keine Spinnen mehr?**

4 Und das vierte Problem ist … ? Wähl wieder deine ideale Lösung.

Problem:

a Dieter kommt an und es gibt keinen Rausschmeißer.

b Katja findet die Würstchen ekelhaft.

c Stefan hat Dieter eingeladen.

Lösung:

a Man muß sofort die Polizei anrufen.

b Es macht nichts. Vielleicht geht er bald.

c Er wird sicher lange bleiben; die Party ist ruiniert!

Jetzt hör weiter zu. Wie geht die Party weiter?

5 Und was passiert zum Schluß? Was ist das Problem und wie würdest du es diesmal lösen?

Problem:

a Die Nachbarn wollen eine Einladung.

b Die Nachbarn und die Polizei kommen zum Haus, weil die Musik so laut ist.

c Sabrina findet die Musik zu laut.

Lösung:

a Die Polizei sollte Stefan verhaften und ihn wegbringen.

b Die Polizei sollte wieder weggehen, um Dieter zu fangen.

c Die Nachbarn sollten bis zwei Uhr morgens auf der Party bleiben.

2 Partnerarbeit

Stellt euch vor, ihr bereitet eine Party vor. Nenn deinem Partner/deiner Partnerin Probleme, die auftreten könnten. Er/sie muß eine Lösung vorschlagen. Ihr dürft entweder Probleme aus der Übung oben nennen oder ganz neue, wenn ihr könnt.

Beispiel

(Ein Problem aus dieser Übung:)

A Ich habe die Lichtanlage nicht organisiert.

B Wir können Kerzen benutzen.

(Ein ganz neues Problem:)

A Ich habe keine Papierteller gekauft.

B Wir können Teller aus der Küche benutzen.

Die schlimmste Party

1 Perfekt?

Lies die Briefe auf Seite 118 und Seite 119 ganz schnell durch und mach eine Liste der Partizipien im Perfekt.
Beispiel

Ursulas Brief	Gottfrieds Brief
gegangen, …	gegangen, …

Ursulas Brief

Lieber Joachim!

Gestern abend bin ich zu einer Party gegangen. Die Leute waren prima und die Musik war genau nach meinem Geschmack (etwas Ungewöhnliches!).

Nach einer halben Stunde bin ich ins Badezimmer gegangen, um mir die Hände zu waschen. Ich konnte aber die Tür nicht wieder aufmachen. Nach einer Stunde ist einer der anderen Gäste durch das Fenster gekommen, um mir zu helfen.

Glücklicherweise war er Schlosser – aber leider war er auch ein Eisenbahnfan! Er hat die Tür nicht öffnen können, aber er hat zwei Stunden lang mit mir über Eisenbahnen geredet. Erst um Mitternacht haben sich die anderen an uns erinnert. Dann haben sie uns aus dem Badezimmer befreit, und ich bin dankbar nach Hause gegangen.

Deine
Ursula

2 Ursulas schlimmste Party

Jetzt lies Ursulas Brief und beantworte die Fragen unten mit ‚richtig‘ oder ‚falsch‘.
Beispiel
1 falsch

1 Die Leute waren furchtbar.
2 Die Musik war genau nach Ursulas Geschmack.
3 Nach einer halben Stunde ist Ursula ins Badezimmer gegangen.
4 Einer der anderen Gäste ist durch die Tür des Badezimmers gekommen.
5 Der andere Gast hat zwei Stunden lang über Wohnwagen geredet.
6 Man hat Ursula schließlich aus dem Badezimmer befreit.

3 Noch etwas!

Schreib die falschen Sätze richtig auf.
Beispiel
1 Die Leute waren prima.

meines Lebens!

4 Gottfrieds schlimmste Party

Lies den Brief und dann beantworte
die Sätze unten.
Beispiel
1   b

1   Die Party hat im **a)** Winter
    b) Sommer **c)** Herbst
    stattgefunden.

2   Die Party hat **a)** auf der
    Terrasse **b)** auf dem Dach
    c) im Schwimmbecken
    stattgefunden.

3   Nach einer Viertelstunde hat es
    a) gehagelt **b)** geschneit
    c) geregnet.

4   Nach einer halben Stunde hat
    man bemerkt, **a)** daß das
    Wasser langsam abläuft
    b) daß die Gäste allmählich
    nach Hause gehen **c)** daß es
    nichts zu essen gibt.

5   Das Wetter ist dann **a)** heißer
    b) schlimmer **c)** besser
    geworden.

Gottfrieds Brief

Liebe Karina!

Im Sommer bin ich zu einer Party auf der
Terrasse bei Manfred gegangen. Er hat ein
Schwimmbecken zu Hause. Fantastisch, aber ...

Nach einer Viertelstunde hat es angefangen,
zu regnen. Aber ... auf einer Schwimmparty wird
man naß, oder ... ?

Zuerst ist alles prima gewesen. Nach einer
halben Stunde haben wir allmählich bemerkt,
daß das Wasser langsam abläuft. Jemand hatte
einen Knopf gedrückt, der das ganze Wasser
aus dem Schwimmbecken ablaufen läßt ...

Leider wurde der Regen immer schlimmer, und
um halb zehn sind wir alle nach Hause
gegangen.

Dein
Gottfried

5 ▭ Wie schlimm kann eine Party sein?

Jetzt hör gut zu. Zwei Jugendliche reden über die
schlimmste Party ihres Lebens. Sieh dir die Sätze
unten an. Welche Party wird jeweils beschrieben?
Party A oder Party B?
Beispiel
1   Party A

1   Auf der Party hat es gar nichts zu essen gegeben.
2   Eine Ratte war im Lautsprecher.
3   Am Anfang hat es Getränke und Kartoffelchips
    gegeben.
4   Die Musik hat nach einer Weile komisch
    geklungen.
5   Die Party hat in einem Keller stattgefunden.
6   Alle waren viel zu hungrig, um zu tanzen.
7   Die Party hat um sechs Uhr abends angefangen.
8   Die Party war in Hameln.

6 Präsentation

Jetzt mach dir Notizen über die schlimmste Party
deines Lebens (wahr oder erfunden). Dann mach eine
kurze Präsentation darüber.
Beispiel
Die schlimmste Party meines Lebens war ...

7 Eine furchtbare Party!

Schreib einen Brief über eine furchtbare Party (wahr
oder erfunden). Was geht schief? Was geht nicht
schief? Die Briefe auf den Seiten 118 und 119 werden
dir helfen.
Beispiel
Liebe Mutti!

Gestern bin ich zur schlimmsten Party meines Lebens
gegangen. Die Party hat um acht Uhr abends
angefangen ...

Du hast die Wahl

1 Alptraumparty!

Erfind eine Einladung zu einer ‚Alptraumparty'! Wann und wo findet sie statt? Was muß man mitbringen? Wer gibt die Party, usw.? Wie furchtbar kannst du die Party machen?

Beispiel

TIEFSTE-WINTER-PARTY BEI DER GRAUSAM-FAMILIE!

Findet um drei Uhr morgens am 21. Dezember im Garten statt.

Kleidung: Badeanzüge. Leute: verrückt.

Für Essen und Trinken ist NICHT gesorgt

Bring schlechte Laune mit.

Ruf an, falls du kommen kannst!

2 Alptraumliste

Für deine Alptraumparty mußt du natürlich eine ‚Alptraumliste' erfinden! Was mußt du machen, damit die Party so furchtbar wie möglich ist?

Beispiel

Keller mit toten Ratten dekorieren

Nachbarn NICHT einladen

Doofe Musik auswählen (am liebsten norwegische Disco-Hits der 70er)

3 Geschichte einer Party

Vervollständige diese Geschichte mit Wörtern aus dem Kästchen.

Beispiel
Gäste eingeladen
Eltern weggegangen …

Gäste _____
Eltern _____

Gläser _____   Gläser _____
Teller _____   Teller _____
Musik _____   Musik _____
Keller _____   Keller _____
Snacks _____   Snacks _____
Getränke _____   Getränke _____

Eltern _____
Gäste _____

eingeladen	weggeschickt
verschmutzt	gekauft
verschüttet	zerbrochen
verschmutzt	gefressen
geputzt	geschmückt
gehört	zurückgekommen
gesucht	ausgewählt
gekauft	weggegangen

4 🔲 Brasilien

Hör dir die neunte Episode der Serie an.

5 🔲 Michaels Party

Hör gut zu. Was gibt es NICHT auf Michaels Party?

Beispiel
Essen? Oder Teller? Oder eine Disco? Oder … ?

Zusammenfassung

Grammatik

Welcher/welche/welches im Nominativ
m. Welch**er** Gast … ?
f. Welch**e** Person … ?
n. Welch**es** Mädchen … ?
pl. Welch**e** Gäste … ?

Daß
Er sagt, **daß** seine Eltern mit Stefans Eltern gut **auskommen**.
Er sagt, **daß** er Claudia **eingeladen hat**.
Sie sagt, **daß** sie den Keller aufräumen **kann**.

Jetzt kannst du . . .

über die Gästeliste für eine Party sprechen

Wollen wir Sid einladen?	Shall we invite Sid?
Ja, er hat einen Verstärker.	Yes, he's got an amplifier.
Nein, er ißt und trinkt alles weg, was es gibt.	No, he eats and drinks up everything there is.

Partyeinladungen verstehen und schreiben

Du bist herzlich zu einer Weihnachtsparty eingeladen!	You are cordially invited to a Christmas party!
Die Party fängt am Dienstag um 21.00 Uhr an.	The party is on Tuesday at 9 p.m.
Ruf an, falls Du nicht kommen kannst!	Phone if you can't come!

sagen, was man vor einer Party machen muß

Ich kann Papierteller kaufen.	I can buy paper plates.
Kannst du den DJ buchen?	Can you book the DJ?
Hast du einen Rausschmeißer organisiert?	Have you fixed up a bouncer?

gute und schlechte Partys beschreiben

Die Leute waren prima.	The people were great.
Er hat zwei Stunden lang mit mir über Eisenbahnen geredet.	He talked to me for two hours about railways.
Dann hat es angefangen zu regnen.	Then it started to rain.

10 Bunte Republik Deutschland

Hier lernst du ...

KROKODIL IM FREIBAD

POLIZIST STAHL AUTO

Texte aus Zeitungen und Büchern zu verstehen

Am Anfang war es nicht leicht ...

über Ausländer in Deutschland und Deutsche im Ausland zu reden

Niemand trug eine Lederhose ...

über Deutschlandklischees und Erfahrungen bei Gastfamilien zu reden

1 Im Taxi geboren!

Lies die vier Berichte.

Mutti hat gesagt: ,Mach schnell! Das Baby kommt!' Vati war in Hamburg. Also habe ich eine Taxifirma alarmiert. Das Taxi war innerhalb von zwei Minuten da. Ich bin alleine hier geblieben und habe stundenlang gewartet. Vati ist erst gegen neunzehn Uhr gekommen, und wir sind zusammen zur Klinik gefahren.
Melanie Sladek, Tochter

Eigentlich sollte das Baby am 27. August kommen. Aber gestern morgen haben plötzlich die Wehen eingesetzt. Melanie hat schnell ein Taxi geholt. Der Fahrer ist unheimlich schnell gefahren, aber plötzlich war das Kind da. Gott sei Dank, der Taxifahrer hat Geburtshilfe geleistet. Zum Glück hatte die Taxifirma einen Familienvater geschickt.
Elisa Sladek, Mutter

In der Stadt war es schon Rush-hour. Ich habe versucht, die Klinik über Funk zu alarmieren, aber es hat nicht geklappt. Zwei Kilometer vor der Klinik ist das Kind gekommen. Zum Glück war ich bei der Geburt meines eigenen Kindes dabei, und wußte mehr oder weniger, was zu tun war. Fünf Minuten nach der Geburt habe ich Mutter und Kind in der Klinik abgeliefert.
Stefan Lück, Taxifahrer

Ich war in Hamburg. Spät am Nachmittag hat das Autotelefon geklingelt. Eine Ärztin hat mir gesagt, ,Herr Sladek. Sie haben einen Sohn.' Ich bin so schnell wie möglich zurückgefahren. Gegen sieben Uhr abends habe ich Elisa und das Baby von der Klinik abgeholt. Einen Namen hat der Kleine im Augenblick nicht.
Sebastian Sladek, Vater

2 Wer hat was gemacht?

Lies die Berichte noch einmal und entscheid, **wer** was gemacht hat.
Beispiel
a   der Taxifahrer

Sebastian Sladek   Elisa Sladek   Melanie Sladek   der Taxifahrer   eine Ärztin

Wer ...
a   hat die Mutter in die Klinik gebracht?
b   hat Herrn Sladek in Hamburg angerufen?
c   hat Geburtshilfe geleistet?
d   hat die Taxifirma angerufen?
e   ist mit Sebastian zur Klinik gefahren?
f   hat versucht, die Klinik zu alarmieren?
g   hat Mutter und Kind von der Klinik abgeholt?
h   hat auf Sebastian gewartet?

3 Am folgenden Tag in der Zeitung ...

Lies den Zeitungsartikel. Der Journalist hat einige Fehler gemacht.
Schreib die Fehler auf.
Beispiel
1   Eigentlich sollte das Baby **am 17. August** kommen.

BABY WURDE IM TAXI GEBOREN
TAXIFAHRER LEISTETE GEBURTSHILFE

VON THOMAS MAIER
Eigentlich sollte das Baby am 17. August kommen. Aber vorgestern morgen setzten bei Mutter Elisa Sladek plötzlich die Wehen ein. Weil Vater Sebastian Sladek gerade nicht zu Hause war, alarmierte Elisa

Mutter Elisa Sladek mit Baby

sofort eine Taxifirma. Sie schickten schnell den Familienvater Stefan Lück. Stefan raste durch die Rush-hour zur Klinik. Unterwegs versuchte der Fahrer, über Funk einen Arzt zu alarmieren. Doch es klappte nicht. 500 Meter vor der Klinik wurde das Kind im Taxi geboren.

‚Gott sei Dank, ich war bei der

Geburt meines eigenen Kindes dabei, und wußte also, was zu tun war‘, erzählte Stefan. Wenige Minuten nach der Geburt lieferte der Fahrer Mutter und Tochter in der Klinik ab. Und am Nachmittag holte Vater Sebastian die beiden vom Krankenhaus ab. Einen Namen für das kleine Mädchen haben die Eltern noch nicht.

Lerntip
Regelmäßige Verben

Perfekt	Imperfekt
Er **hat** sie ab**ge**hol**t**.	Er hol**te** sie ab.
Sie **hat** die Firma alarmier**t**.	Sie alarmier**te** die Firma.
Es **hat** nicht **ge**klapp**t**.	Es klapp**te** nicht.
Sie **haben** Stefan **ge**schick**t**.	Sie schick**ten** Stefan.

4 Wie passierte das wirklich?

Schreib eine korrigierte Fassung des Zeitungsartikels.
Beispiel
Eigentlich sollte das Baby **am 27. August** kommen. Aber ...

1 Kurioses aus der Presse

Lies die drei Zeitungsartikel und wähl jeweils die beste Schlagzeile.
Beispiel
1   a? Oder b? Oder … ?

a BEIM FRÜHSTÜCK KATZE ÜBERFAHREN!

b RASIERENDER HAMBURGER FUHR GEGEN BAUM!

d Polizist schrieb Liebesbrief an ‚Julia'!

c Fausthieb für Dieb!

f SPORTLEHRERIN TRAF DIEBE IM PARK!

e Liebesbrief war zu gefährlich!

1

Hamburg – Der 26jährige Jens Vogeler frühstückte und rasierte sich während der Fahrt zur Arbeit. Nach einer Geburtstagsfeier verschlief der junge Krankenpfleger aus Hamburg. Er wollte nicht zu spät zur Arbeit kommen. Also zog er sich schnell an und fuhr los. Beim Rasieren verlor er die Kontrolle über das Auto und prallte gegen einen Baum. ‚Auf der Straße war eine Katze. Ich wollte sie nicht überfahren', behauptete er. Doch die Polizei fand eine Schüssel mit Cornflakesresten, einen Löffel und einen laufenden Elektrorasierer unter dem Sitz. DM 500 Strafe.

2

Magdeburg – Ein unbekannter ‚Romeo' aus Magdeburg schrieb seiner ‚Julia' einen 140 Meter langen Liebesbrief. Er begann mit den Worten: ‚Liebe Gabi! Ich möchte Dir sagen, wie gerne ich Dich mag …'. Seine Worte standen nicht auf Papier. Er malte sie auf die Straße. Die Polizei meinte: ‚Das ist für die Verkehrssicherheit zu gefährlich.' Kollegen von der Feuerwehr mußten den Brief entfernen. In Magdeburg gibt es nach Angaben der Polizei über 500 Gabis.

3

Düsseldorf – Zwei Diebe in Düsseldorf hatten Pech. In einem Parkhaus drohten sie der 29jährigen Annette Körting: ‚Geld her, sonst passiert was!' Doch Annette antwortete: ‚Haut ab, sonst passiert was!' ‚Das glaube ich nicht', sagte der erste Dieb und fing an zu lachen. ‚Her mit dem Geld!' sagte der zweite Dieb. Als er auch lachte, traf ihn ein Fausthieb. Die Frau, eine Jiu-Jitsu-Sportlehrerin, warf die beiden Räuber zum Boden. Die zwei Männer liefen davon, so schnell sie konnten.

Lerntip
Imperfekt

Regelmäßige Verben			Modalverben			Unregelmäßige Verben		
Infinitiv	**Imperfekt**		**Infinitiv**	**Imperfekt**		**Infinitiv**	**Imperfekt**	
lachen	er/sie/es	lach**te**	können	er/sie/es	konn**te**	finden	er/sie/es	f**and**
	sie	lach**ten**		sie	konn**ten**		sie	f**anden**
sagen	er/sie/es	sag**te**	müssen	er/sie/es	muß**te**	laufen	er/sie/es	l**ief**
	sie	sag**ten**		sie	muß**ten**		sie	l**iefen**
			NB Kein Umlaut!			Schlag unregelmäßige Verben in der Verbliste hinten im Buch nach.		

2 Warum?

Lies die drei Zeitungsartikel noch einmal. Was paßt zusammen?
Beispiel
1   d

1	Jens frühstückte im Auto,	**a**	weil er Gabi mag.
2	Jens verlor die Kontrolle über den Wagen,	**b**	weil Annette ihm drohte.
3	‚Romeo' schrieb einen Liebesbrief auf die Straße,	**c**	weil er zu gefährlich war.
4	Die Feuerwehr mußte den Brief entfernen,	**d**	weil er nicht zu spät kommen wollte.
5	Der erste Dieb lachte,	**e**	weil die Frau eine Jiu-Jitsu-Expertin war.
6	Die Diebe liefen weg,	**f**	weil er sich rasierte.

3 ▭ Radionachrichten

Du hörst jetzt drei Radiojournalisten. Sie geben jeweils zwei Informationen, die nicht in den Zeitungsartikeln sind.
Hör gut zu und schreib die neuen Informationen auf.
Beispiel
1   Er prallte gegen einen Baum **und eine Bushaltestelle**.

4 Chaos auf der Hauptstraße

Lies den Artikel und füll die Lücken mit Verben aus den Kästchen aus.

> malte   alarmierte   fand   sagte   verlor   drohte
>
> zog   lachte   lief   prallte   warf   konnte

Clausthal-Zellerfeld – Auf der Hauptstraße (1) _drohte_ ein Autofahrer dem 17jährigen Christian Littbarski, als er ein Graffitiwerk auf die Straße _____(2)_____. ‚Hau ab,' _____(3)_____ der Autofahrer. Als der junge Mann _____(4)_____, _____(5)_____ der Autofahrer einen Revolver heraus. Christian, ein Judoexperte, _____(6)_____ den Autofahrer zum Boden. Der Autofahrer _____(7)_____ davon, so schnell er _____(8)_____: ohne Revolver. Ein Taxifahrer _____(9)_____ über Funk die Polizei. Doch dabei _____(10)_____ der Taxifahrer die Kontrolle über sein Auto und _____(11)_____ gegen einen Bus. Die Polizei _____(12)_____ im Auto gestohlene Diamanten in Wert von DM 500.000.

5 Und schließlich ...

Bedeck die Verben in den Kästchen oben mit einem Blatt Papier und lies jetzt die Nachrichten einem Partner/einer Partnerin vor. Wenn du einen Fehler machst, muß er/sie dich korrigieren.

6 Der Chef ist schon wieder sauer!

Der Artikel über die Hauptstraße ist zu kurz! Ich wollte mehr Details! Also, an die Arbeit!

Beispiel
Es gab heute morgen Chaos auf der Hauptstraße. Um 09.27 Uhr drohte ein BMW-Fahrer ...

Deutschland seit d

1939

Im Jahr 1939 begann der zweite Weltkrieg. Er dauerte bis 1945. In diesen Jahren wurden mehr als 50 Millionen Menschen getötet. In der Sowjetunion allein starben über 25 Millionen. Gegen Ende des Krieges zerstörten die alliierten Armeen und Luftstreitkräfte deutsche Städte.

Berlin 1945

1945

Im Mai 1945 war die Hitlerdiktatur zu Ende. Die Alliierten (die USA, die Sowjetunion, Großbritannien und Frankreich) besetzten Deutschland. Sie teilten Deutschland in vier Zonen auf. Sie teilten auch Berlin, die zerstörte Hauptstadt, in vier Sektoren auf.

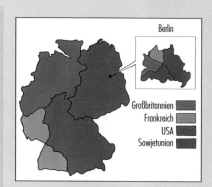

Berlin

Großbritannien
Frankreich
USA
Sowjetunion

Auch die Zeit nach dem Krieg war sehr schwer. Viele Menschen hatten keine Wohnung mehr. Bei der Entfernung von Trümmern mußten die Frauen harte Arbeit leisten, weil so viele Männer im Krieg gefallen waren. Viele Menschen hatten Hunger. Aber es gab auch Hilfe für Deutschland. Die Amerikaner schickten viele Millionen Pakete mit Lebensmitteln nach Deutschland.

1949

1949 entstanden zwei deutsche Staaten: die Deutsche Demokratische Republik (DDR) im Osten und die Bundesrepublik Deutschland (BRD) im Westen. 41 Jahre lang existierten zwei deutsche Staaten nebeneinander.

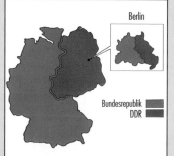

Berlin

Bundesrepublik
DDR

Die Bundesrepublik
Die Bundesrepublik ist eine Demokratie wie die USA, Irland oder Großbritannien. Die DDR war ein sozialistischer Staat, wie die Sowjetunion.

Die DDR
In der DDR gab es keine privaten Hausbesitzer, keine privaten Bauernhöfe, keine privaten Fabrikbesitzer. Die medizinische Behandlung kostete nichts und es gab kaum Arbeitslosigkeit. Doch es gab keine Meinungsfreiheit. Und die Reisefreiheit war auch beschränkt.

zweiten Weltkrieg

1961

Schon 1947 war die Grenze zwischen der Ostzone und den Westzonen geschlossen. Am 13. August 1961 fing die DDR an, eine Mauer um Westberlin zu errichten. Kontakte zwischen Familien und Freunden in den beiden Teilen Deutschlands waren danach jahrelang fast unmöglich. Die Grenzsoldaten der DDR erschossen Hunderte, die versuchten, über die Grenze zu fliehen. Oft gab es an der Mauer Spannungen zwischen den ehemaligen Alliierten.

Die Berliner Mauer

1989

Im Herbst 1989 begannen in der DDR große Demonstrationen. Viele hunderttausend Menschen demonstrierten in verschiedenen Städten und forderten Reise- und Meinungsfreiheit. Im November 1989 öffnete die DDR-Regierung die Berliner Mauer und die Grenze zur Bundesrepublik. Millionen strömten aus der DDR über die Grenze und sahen den anderen Teil Deutschlands zum ersten Mal.

Die DDR brach schnell zusammen. Seit 1990 existiert die DDR nicht mehr. Am 3. Oktober 1990 wurde die DDR mit der Bundesrepublik vereinigt. Doch es war nicht einfach, die zwei Systeme zusammenzubringen.

Jugendliche feiern an der Berliner Mauer

1 Ich bin ‚Ausländer'

GAUDI-Magazin interviewt vier Jugendliche. Lies den Text unten.

Roberto Biagini (16), Berlin

Als ich angekommen bin, habt ihr gerade über Deutschland diskutiert. Hattet ihr mal Probleme im Umgang mit Deutschen? Roberto?

Roberto: Meine Familie ist vor sechs Jahren nach Deutschland gezogen. Ich fand es nicht leicht in die Schule zu gehen, ohne die Sprache perfekt zu sprechen. Am Anfang glaubte ich, ich würde nie Freunde finden. Aber ich habe jetzt ganz tolle Schulkameraden. Trotzdem bin ich für einige Deutsche ‚nur ein Ausländer'.

Yazmin Öner (15), Berlin

Und du, Yazmin?

Yazmin: Meine Eltern sind Türken. Ich bin in Berlin geboren. Ich selbst hatte noch keine Schwierigkeiten im Umgang mit Deutschen. Aber mein Vater hat auf der Arbeit andere Erfahrungen gemacht. Eine Zeitlang wollten meine Eltern ‚nach Hause' zurückziehen.

Warst du damit einverstanden?

Yazmin: Ich konnte das nicht akzeptieren. Für mich ist Berlin mein Zuhause. Meine Freunde sind hier. In meiner Klasse sind alle nett ... Ich, ja, und meine Schwester auch, wir wollten hier bleiben.

Sezen Assad (16), Berlin

Sezen, hast du mal Schwierigkeiten gehabt?

Sezen: Nur selten. Ich bin auch hier geboren. Bis jetzt war ich sehr zufrieden, aber die Extremisten beunruhigen mich. Einige Menschen sagen ‚Ausländer raus'. Aber in 178 Ländern der Welt sind die Deutschen selbst Ausländer ...

Thomas Klein (16), London

Thomas, du hast in Berlin gewohnt, als deine Mutter eine Stelle in London bekommen hat. Du mußtest nach England umziehen. Wie war das?

Thomas: Wir wollten Deutschland nicht verlassen. Am Anfang war das hart, weil wir auf eine englische Schule gingen und mein Englisch so schlecht war. Ich mußte schnell viel Englisch lernen. Mein Bruder und ich meckerten die ganze Zeit über England.

Wolltet ihr nicht auf die deutsche Schule in London gehen?

Thomas: Am Anfang schon. So viele Leute haben Vorurteile gegen die Deutschen. Viele Leute wissen nur das über die Deutschen, was sie in Kriegsfilmen im Fernsehen gesehen haben.

2 Wer ist das?

Lies die Interviews noch einmal. Was paßt zusammen?
Beispiel
Roberto – Ich bin nach Deutschland gezogen.

Roberto	
Yazmin, Sezen und Thomas	
Roberto und Yazmin	
Yazmin	
Sezen	
Thomas und Roberto	
Yazmin und Thomas	
Thomas	

1. Ich habe Angst vor Extremisten.
2. Wir haben nette Schulkameraden.
3. Wir wollten in Deutschland bleiben.
4. Ich bin nach Deutschland gezogen.
5. Ich hatte gar keine Probleme.
6. Wir sind in Deutschland geboren.
7. Ich wohnte früher in Deutschland.
8. Wir mußten schnell eine neue Sprache lernen.

3 ▭ Freunde

Jetzt reden Freunde und Freundinnen von Roberto, Yazmin, Sezen und Thomas über sie. Über wen sprechen sie jeweils? Hör gut zu und schreib den Namen auf.
Beispiel
1   Thomas

Lerntip

Verben im Imperfekt

Regelmäßige Verben	Modalverben	Unregelmäßige Verben
wohnen	**müssen**	**fahren**
ich wohn**te**	ich muß**te**	ich fuhr
du wohn**test**	du muß**test**	du fuhr**st**
er/sie/es wohn**te**	er/sie/es muß**te**	er/sie/es fuhr
wir wohn**ten**	wir muß**ten**	wir fuhr**en**
ihr wohn**tet**	ihr muß**tet**	ihr fuhr**t**
Sie wohn**ten**	Sie muß**ten**	Sie fuhr**en**
sie wohn**ten**	sie muß**ten**	sie fuhr**en**

Zehra

Mboyo

4 Zehra und Mboyo

Zehra und Mboyo leben seit vier Jahren in der Bundesrepublik. Wähl eine/n der zwei Jugendlichen und schreib seine/ihre Geschichte. Benutz Sätze aus allen vier Texten auf Seite 128, um einen neuen Artikel zu schreiben.
Beispiel
Meine Familie ist vor vier Jahren nach Deutschland gezogen ...

5 Gruppenarbeit

Arbeitet in Vierergruppen. Macht ein Ratespiel. Ein/e Partner/in macht das Buch auf Seite 128 auf und liest einen Satz aus dem Artikel vor. Die anderen müssen ihre Bücher zuschlagen. Sie müssen raten, wer das ist.
Beispiel

A ‚Wir wollten Deutschland nicht verlassen.'

B Das ist Thomas.   **A** Richtig.

1 Deutschlandklischees

Lies den Text.

,Die Deutschen sind Weltmeister im Biertrinken ...'

,Die Deutschen haben keinen Humor ...'

,Die Deutschen haben blonde Haare und blaue Augen ...'

,Die Deutschen tragen Lederhosen ...'

,Die Deutschen essen immer Sauerkraut, Kartoffeln und Wurst ...'

,Die Deutschen kommen nie zu spät ...'

,Die Deutschen sind fleißig ...'

,Die Deutschen fahren immer BMW oder Mercedes ...'

2 Was paßt zusammen?

Find Ausdrücke im Text, die zu den folgenden Klischees passen.

Beispiel

1   g

1   Die Deutschen arbeiten gerne.
2   Die Deutschen fahren nie ausländische Autos.
3   Die Deutschen essen nie Pizza.
4   Die Deutschen lachen nie.
5   Die Deutschen trinken viel Bier.
6   Die Deutschen sind immer pünktlich.

3 Meine Jeans kommen aus den USA

Ein Deutscher reagiert auf die Klischeeliste oben.
Hör gut zu und ergänze die Sätze.

Beispiel

1   Er hat **schwarze** Haare.

1   Er hat _____ Haare.
2   Er mag kein Sauerkraut. Er ißt lieber Kaviar mit _____ .
3   Bier trinkt er nur, wenn es keinen _____ gibt.
4   Er trägt _____ eine Lederhose.
5   BMW und Mercedes hält er für _____ .
6   Er kommt _____ eine halbe Stunde zu spät.

4 Bei Gastfamilien

Lies die Texte und füll die Tabelle unten aus.
Die Liste der Deutschlandklischees auf Seite 130 wird dir helfen.

Die Familie war sehr nett. Mit Bier und Sauerkraut war aber nicht viel los. Wir tranken meistens Mineralwasser oder Kaffee. Wir aßen viel Gemüse mit Reis oder Pasta und dazu Fleisch oder Fisch. Kartoffeln gab's vielleicht zweimal. Und Wurst habe ich nur einmal gegessen. Andererseits gab es fast jeden Nachmittag Kaffee und Kuchen. Das wird mir fehlen.
Kate O'Riordan, Kilkenny

Ja. Meine Gastmutter hatte einen BMW, aber der Vater hatte einen Peugeot. Oft sind sie mit der Straßenbahn gefahren. Positiv fand ich, daß sie sehr umweltbewußt waren. Sie recyceln fast alles oder bringen Sachen zu Recyclingcontainern. Die Familie war ganz nett, und der Vater war unheimlich witzig.
Pierre de Caulnes, Paris

Meine Austauschpartnerin und ihr Bruder haben wohl blonde Haare und blaue Augen. Lederhosen habe ich nicht gesehen. Sie waren alle sehr sportlich, und die ganze Familie trainierte dauernd. Wir haben viel gelacht und haben uns prima verstanden. Interessant fand ich, daß sie nie bei Rot über die Straße liefen, auch wenn keine Autos kamen.
Becci Taylor, Portishead

Deutschlandklischee	Bei den Gastfamilien
Die Deutschen essen immer Sauerkraut, Kartoffeln und Wurst.	Mit Bier und Sauerkraut war aber nicht viel los.

5 Wie war's?

Beantworte die Fragen auf deutsch.
Beispiel
1   Die Familie trank meistens Mineralwasser oder Kaffee.

Achtung!
Dauer in der Vergangenheit
↓
Imperfekt
Die Familie **trainierte** dauernd.

1   Was trank Kates Gastfamilie meistens?
2   Wie oft gab es Wurst?
3   Was hat ihr besonders gefallen?
4   Ist Pierres Gastfamilie umweltbewußt?
5   Welches Familienmitglied fand er besonders witzig?
6   Was machte Beccis Gastfamilie ständig?
7   Was machten sie nic?

6 Gruppenarbeit

Arbeitet in Dreiergruppen. Ein/e Partner/in schreibt eine neue Version von Kates Aussage, und liest sie vor. Die anderen Partner/innen müssen sagen, welche Details neu sind.
Beispiel

A Die Familie war sehr nett. Mit Bier und Sauerkraut war aber nicht viel los. Wir tranken meistens Rotwein ...

B Das stimmt nicht. Sie tranken meistens Mineralwasser oder Kaffee.

Du hast die Wahl

1 Aussprache

Hör gut zu und wiederhole.

An der Küste	Auch
Küßte ich	Küßtest du
Auf einer	Auf einer
Kiste	Kiste
Dich.	An der Küste
	Mich.

2 Brasilien

Hör dir die letzte Episode der Serie an.

3 Gitarrensolos

Hör gut zu. Welche Zusammenfassung paßt am besten?

a In München machte ein junger Elektrogitarrist eine Show. Die Show war der erste Preis in einem Wettbewerb.

b Es gab in München einen Wettbewerb für Gitarrenspieler – ohne Gitarre. Die Luftgitarristen mußten nicht spielen; sie taten nur so als ob.

c Der beste Gitarrenspieler in München gab eine Show für seine jungen Fans. Aber die Musik kam vom Tonband.

4 Was bin ich?

Kannst du das Rätsel lösen?

Ich bin Ausländer. Zuerst wohnte ich in Südamerika. Der englische Seefahrer, Sir Walter Raleigh, brachte mich nach Irland. Mit irischen und englischen Auswandererfamilien kam ich nach Schweden, Rußland und Nordamerika. Anfang des achtzehnten Jahrhunderts kam ich zum ersten Mal nach Deutschland. Eine Zeitlang wurde ich in Deutschland verboten. Jetzt bin ich ein Deutschlandklischee. Mein deutscher Name beruht auf dem italienischen Wort *tartufolo*. Was bin ich?

5 An einem Montagabend

Lies den Text und schreib die Geschichte weiter.

> Es geschah an einem Montagabend. Ich ging nach Hause. Ich war alleine.
> Es war dunkel. Es regnete. Dann sah ich den Wagen, einen alten Mercedes. Ich schaute hinein.
> Kein Fahrer. Dann bemerkte ich … einen Revolver …

6 Schlagzeilen

Schreib sensationelle Schlagzeilen für die Zeitung und mach eine Ausstellung. (Benutz die Verbliste hinten im Buch.)
Beispiel

POLIZIST STAHL DIAMANTEN

HAUS BRANNTE: PAPAGEI RIEF FEUERWEHR AN

LEHRER Aß MATHEBUCH

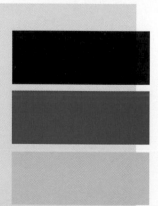

Zusammenfassung

Grammatik

Verben im Imperfekt					
Regelmäßige Verben		**Modalverben**		**Unregelmäßige Verben**	
wohnen		**müssen**		**fahren**	
ich	wohn**te**	ich	muß**te**	ich	fuhr
du	wohn**test**	du	muß**test**	du	fuhr**st**
er/sie/es	wohn**te**	er/sie/es	muß**te**	er/sie/es	fuhr
wir	wohn**ten**	wir	muß**ten**	wir	fuhr**en**
ihr	wohn**tet**	ihr	muß**tet**	ihr	fuhr**t**
Sie	wohn**ten**	Sie	muß**ten**	Sie	fuhr**en**
sie	wohn**ten**	sie	muß**ten**	sie	fuhr**en**

Jetzt kannst du . . .

Texte aus Zeitungen und Büchern verstehen

Der Fahrer versuchte, einen Arzt zu alarmieren.

Er verlor die Kontrolle über das Auto.

Die Frau warf die beiden Räuber zum Boden.

The driver tried to call a doctor.

He lost control of the car.

The woman threw the two robbers to the ground.

über Erfahrungen als ‚Ausländer' reden

Ich selbst hatte keine Schwierigkeiten.

Am Anfang glaubte ich, ich würde nie Freunde finden.

Mein Bruder meckerte die ganze Zeit über England.

I didn't have any difficulties myself.

At first I thought I would never make any friends.

My brother moaned all the time about England.

über Erfahrungen bei Gastfamilien reden

Wir tranken meistens Mineralwasser oder Kaffee.

Sie waren sehr umweltbewußt.

Lederhosen habe ich nicht gesehen.

We mostly drank mineral water or coffee.

They were very concerned about the environment.

I didn't see any leather trousers.

Lesepause

Einer der folgenden Berichte ist nicht wahr. Welcher?

DIE JOHN-LENNON-OBERSCHULE, BERLIN

Das gab's noch nie in Deutschland: Die zweite Oberschule Berlin-Mitte trägt den Namen eines toten Popstars. Die 750 Schüler des Gymnasiums wählten John Lennon zum Namensgeber. Zur Wahl hatten auch der Reggae-Musiker Bob Marley, der amerikanische Schriftsteller Ernest Hemingway und der ehemalige deutsche Bundeskanzler Willy Brandt gestanden. Lehrer und Eltern stimmten dem Vorschlag zu. Mit einer Flower-Power-Party feierte man den neuen Namen. Yoko Ono, Witwe des 1980 ermordeten Beatle schickte den Berliner Schülern Grüße aus New York.

Mit Köpfchen bei Nebel

Zwei Polizisten waren bei dichtem Nebel bei Nürnberg unterwegs. Um besser sehen zu können, hatten die Polizisten ihre Köpfe aus dem Auto gestreckt. Dann passierte es. Die zwei Polizisten begegneten einander und knallten dabei mit ihren Köpfen zusammen. Beide mußten die Nacht im Krankenhaus verbringen. Die Polizei meldete: ,Beide Autos blieben unbeschädigt.'

Aus: Echt! © 1993 MW Verlag

KROKODIL IM FREIBAD

Der 21jährige Jörg Zars schmuggelte seinen Kaiman (ein kleines Krokodil) in einer Tasche an einen Badesee in Dormagen. Bei einem Spaziergang am Strand floh der Kaiman und ging im See baden. Der Besitzer beteuerte mehrmals, daß der Kaiman völlig harmlos sei. Doch die Polizei sperrte den See. Der Kaiman besitzt nämlich messerscharfe Zähne. Mit allen Tricks versuchte man das Tier wieder einzufangen. Die Suche dauerte mehrere Tage und Nächte. Schließlich schoß die Polizei nachts auf das Tier. Am Morgen fing ein Taucher das total verängstigte Tier. Die Polizei brachte den Kaiman, der übrigens ,Sammy' heißt, in den Kölner Zoo.

Sammy, der Kaiman

BIS BALD!

Eine Postkarte aus einem Kurort in den Alpen brauchte 32 Jahre um Freiburg zu erreichen. Die Urlaubsgrüße hatten sich verspätet, weil die Karte bei der Post hinter einen Schrank gefallen war und dort 32 Jahre blieb. Als die Postkarte endlich beim Empfänger ankam, mußte der Freiburger auch noch Strafporto zahlen, weil die Postkarte nach drei Jahrzehnten unterfrankiert war.

DER STOFF, AUS DEM TRÄUME SIND

Vierzehn Tage lang verhüllten die Künstler Christo und Jean-Claude den alten Reichstag in Berlin. Große Lastwagen brachten die extra produzierten Stoffbahnen nach Berlin. Kräne hoben Gerüste und Stoff in die Höhe. Bergsteiger knüpften alles zusammen. Millionen Leute kamen in den folgenden vierzehn Tagen nach Berlin. Alle wollten das verhüllte Haus sehen. Presseteams wollten das Künstlerpaar interviewen. ‚Ist das Kunst?' hatten nicht nur Journalisten sondern auch Kritiker gefragt. Eine junge Berlinerin beantwortete diese Frage mit ‚Keine Ahnung, aber das sieht schön aus!'

Aus: **Neue Kunst** © 1996 NDK Verlag

VERLOREN: PANZER, GRÜN

Bei einem NATO-Manöver in Niedersachsen erhielt eine amerikanische Truppe den Auftrag, einen Panzer zu vergraben und zu tarnen. Die Soldaten leisteten gute Arbeit. Nach sechs Stunden war der Panzer von der Oberfläche der Erde völlig verschwunden. Die Soldaten fuhren dann zufrieden zum Regiment zurück, um das Mittagessen zu fassen. Als sie nach der Mittagspause zum Panzer zurückfahren wollten, war der Panzer nicht mehr auffindbar. Der Kommandeur mußte einige Kompanien mobilisieren, um die Wälder durchzukämmen. Erst nach drei Tagen fanden sie den Panzer wieder.

Aus: **Das Buch der 1000 Sensationen** © 1993 Loewe Verlag GmbH, Bindlach

Grammatik

1 Subject, direct and indirect object pronouns

Subject pronouns (in the nominative case) show who or what is *doing* the action described by a verb (e.g. **ich** esse, **er** trinkt).

Direct object pronouns (in the accusative case) show who or what is having the action described by a verb *done to* them (e.g. er mag **mich**, ich sehe **dich**).

Indirect object pronouns (in the dative case) are mostly used as a shorthand way of saying '*to/from/for e.g. me*' (e.g. gib **mir** das Buch, es reicht **ihm**).

Here is a listing of the pronouns you have learnt:

Singular:

	Nominative		Accusative		Dative	
1st person	ich	(I)	mich	(me)	mir	(to/from/for me)
2nd person	du	(you, e.g. friend)	dich	(you)	dir	(to you, etc.)
3rd person	er	(he/it)	ihn	(him/it)	ihm	(to him/it, etc.)
	sie	(she/it)	sie	(her/it)	ihr	(to her/it, etc.)
	es	(it)	es	(it)	ihm	(to it, etc.)
	man	(one)	einen	(one)	einem	(to one, etc.)

Plural:

	Nominative		Accusative		Dative	
1st person	wir	(we)	uns	(us)	uns	(to/from/for us)
2nd person	ihr	(you, e.g. friend**s**)	euch	(you)	euch	(to you, etc.)
	Sie	(you – formal)	Sie	(you)	Ihnen	(to you, etc.)
3rd person	sie	(they)	sie	(them)	ihnen	(to them, etc.)

2 Verbs

Every sentence must contain a verb. This tells us what is happening in the sentence, and is usually listed in a dictionary or glossary in the *infinitive*, (the form of the verb meaning '*to _____*', e.g. *to do*). In German, infinitives of verbs usually end in **-en** or **-n**.

2.1 The present tense

- **Regular (weak) verbs**

Regular verbs follow the standard pattern. To use a regular verb, you take the infinitive form, remove the **-en** or **-n** from the end to form the *stem*, and add the correct ending for the pronoun you are using. For example:

ich	_____-e	(ich kauf**e**)	wir	_____-**en**	(wir kauf**en**)
du	_____-**st**	(du kauf**st**)	ihr	_____-**t**	(ihr kauf**t**)
er/sie/es	_____-**t**	(er kauf**t**)	Sie	_____-**en**	(Sie kauf**en**)
			sie	_____-**en**	(sie kauf**en**)

- ### Arbeiten, finden

Verbs which have a **t** or a **d** at the end of their stem generally have a slightly different ending.
To make them easier to say the *stem* is always followed by an **e,** e.g.

du arbeit**es**t	er arbeit**et**	ihr arbeit**et**

- ### Sammeln

Most verbs which end in **-eln** form their stem by removing the **-n** and adding the regular endings,
except in the case of the first person singular **ich** which loses the first **e**, e.g. ich samm**le** *not* ich
sammele.

- ### Irregular (strong) verbs

Irregular verbs are different in the 2nd (du) and 3rd (er/sie/es) person singular forms. The endings
are the same as those for regular verbs, but the vowel in the *stem* changes. The most common vowel
changes are from **e** to **i,** from **e** to **ie** and from **a** to **ä**:

geben:	ich gebe	*aber*	du g**i**bst
sehen:	ich sehe	*aber*	er s**ie**ht
fahren:	ich fahre	*aber*	sie f**ä**hrt

2.2 Haben and sein

Haben *(to have)* and **sein** *(to be)* are irregular and are used frequently as *auxiliary verbs* when
forming the perfect tense. See Section 2.9. Also see Verb List on page 150 for the *paradigms* (listings
of all the parts) of these verbs.

2.3 Reflexive verbs in the present tense

Reflexive verbs consist of two parts, a *verb* and a *reflexive pronoun*. For reflexive verbs in the
perfect tense see Section 2.11.

- ### Reflexive pronouns in the accusative

When the reflexive pronoun is the *direct object* of
the sentence, it is in the *accusative*. These reflexive
pronouns are similar, but not identical, to the direct
object pronouns in the accusative case (see **1**
above). For example see the verb on the right:

sich duschen – to have a shower	
ich dusche	**mich**
du duschst	**dich**
er/sie/es duscht	**sich**
wir duschen	**uns**
ihr duscht	**euch**
Sie duschen	**sich**
sie duschen	**sich**

Some other reflexive verbs with reflexive pronouns in the accusative are:

sich hinlegen	*to lie down*	ich lege **mich** hin
sich fühlen	*to feel*	fühlst du **dich** nicht wohl?
sich erbrechen	*to be sick*	sie erbricht **sich**

- ## Reflexive pronouns in the dative

When the reflexive pronoun is the *indirect object* of the sentence, it is in the *dative*. These reflexive pronouns are similar, but not identical, to the indirect object pronouns (see **1** above). Another word in the *accusative* (often a part of the body) is used with the verb as well – this is the *direct object* of the sentence. For example:

sich die Haare waschen – to wash one's hair		
ich wasche	**mir**	die Haare
du wäschst	**dir**	die Haare
er/sie/es wäscht	**sich**	die Haare
wir waschen	**uns**	die Haare
ihr wascht	**euch**	die Haare
Sie waschen	**sich**	die Haare
sie waschen	**sich**	die Haare

Some other reflexive verbs with reflexive pronouns in the dative are:

sich etwas verletzen	*to injure something*	ich verletze **mir** den Fuß
sich etwas brechen	*to break something*	er bricht **sich** den Arm
sich etwas verstauchen	*to sprain something*	sie verstaucht **sich** den Fuß

2.4 Separable verbs in the present tense

Separable verbs have a *preposition* attached to them (e.g. **um**-, **aus**- or **auf**-). In the infinitive the preposition is joined to the *beginning* of the verb (e.g. **um**steigen, **aus**kommen, **auf**stehen). In the present tense the verb goes in *second* place and the preposition goes at the *end* of the sentence. For example:

Er **steigt** in Bonn **um**.	*He changes trains in Bonn.*
Ich **komme** mit ihnen gut **aus**.	*I get on well with them.*
Sie **steht** um halb sechs **auf**.	*She gets up at half-past five.*

NB For separable verbs in the perfect tense see Section 2.10.

2.5 Modal verbs in the present tense

A modal verb generally works with another verb which is in the *infinitive*. The modal verb adds something to the meaning of the other verb (usually a mood or an attitude). The modal verb is the main verb in the sentence and goes in *second* place. The other verb (in the infinitive) goes at the *end* of the sentence. For example:

Ich **muß** hier **umsteigen.**	*I have to change trains here.*
Sie **will** etwas **trinken.**	*She wants to drink something.*
Ich **kann** dir **helfen.**	*I can help you.*

Modal verbs are irregular in the singular (their stems change and there are no endings on the **ich** and **er/sie/es** forms) but they are regular in the plural.

Here are the modal verbs you have met, and their meanings:

dürfen	*to be allowed to, 'may'*
können	*to be able to, 'can'*
mögen	*to like to*
müssen	*to have to, 'must'*
wollen	*to want to*

dürfen	**können**	**mögen**	**müssen**	**wollen**
Singular:				
ich darf	ich kann	ich mag	ich muß	ich will
du darfst	du kannst	du magst	du muß	du willst
er/sie/es darf	er/sie/es kann	er/sie/es mag	er/sie/es muß	er/sie/es will
Plural:				
wir dürfen	wir können	wir mögen	wir müssen	wir wollen
ihr dürft	ihr könnt	ihr mögt	ihr müsst	ihr wollt
Sie dürfen	Sie können	Sie mögen	Sie müssen	Sie wollen
sie dürfen	sie können	sie mögen	sie müssen	sie wollen

NB For modal verbs in the imperfect tense see Section 2.14.

2.6 The present conditional

The present conditional of **werden** is **würden**, which means 'would' in English. **Würden** is used as the main verb in *second* place with another verb in the *infinitive* at the end of the clause.

Ich **würde** eine Weltreise **machen**.	*I **would** travel around the world.*

You have also met the present conditional tense of **mögen** which is **möchten** meaning *'would like'*.

'würden – would'
ich würde
du würdest
er/sie/es würde
wir würden
ihr würdet
Sie würden
sie würden

'möchten – would like'
ich möchte
du möchtest
er/sie/es möchte
wir möchten
ihr möchtet
Sie möchten
sie möchten

2.7 Ich würde lieber

German uses **'würden'** (see above) with **'lieber'** and **'am liebsten'** to express preference. For example

Ich **würde** am liebsten die Schule ganz **verlassen.**	*Most of all I would like to leave school.*

Als meaning *'than'* is used to make comparisons.

Ich **würde** lieber Schokolade **als** Gemüse **essen.**	*I would rather eat chocolate **than** vegetables.*

2.8 The future tense

There are two ways of expressing the future in German:

• The present tense with future meaning: the verb is like a normal present tense verb in form and usage. (This is similar to English usage of the present tense.) For example:

Nächstes Jahr **fahre** ich nach Italien.	*Next year I am going to Italy.*
Morgen **gehe** ich einkaufen.	*Tomorrow I am going shopping.*

• **Werden** with another verb in the *infinitive* at the *end* of the clause. (This is similar to the English future tense which uses *'will'* or *'shall'* and a verb in the infinitive.) Here are some examples:

Ich **werde** berühmt **sein.**	*I will be famous.*
Wir **werden** massenhaft CDs **verkaufen.**	*We will sell lots of CDs.*
Wir **werden** nächstes Jahr nach Spanien **fahren.**	*We will go to Spain next year.*

The verb **werden** is irregular:

ich werde
du **wirst**
er/sie/es **wird**
wir werden
ihr werdet
Sie werden
sie werden

2.9 The perfect tense

The perfect tense is used to talk about completed actions in the past. It is mainly used for personal spoken accounts, e.g. in conversation. It is formed by using the *auxiliary* verb **haben** or **sein** and a *past participle*.

The auxiliary verb **haben** or **sein** counts as the main verb and so is in *second* place and the past participle goes to the *end* of the clause. For example:

Ich **habe** ein Geschenk für meine Mutter **gekauft**.	*I bought a present for my mother.*
Ich **bin** mit dem Auto nach Berlin **gefahren**.	*I drove to Berlin.*

- ### Regular (weak) verbs

To form the past participle of a regular verb, you form the *stem* by removing the **-en** or **-n** from the end of the *infinitive*. You then add **ge-** to the beginning and **-t** or **-et** to the end. For example:

(to play)	spielen	→	spiel-	→	**ge**spiel**t**
(to work)	arbeiten	→	arbeit-	→	**ge**arbeit**et**

- ### Irregular (strong) verbs

To form the past participle of an irregular verb, you add **ge-** to the beginning of the *infinitive* form, and you usually change the *vowel* in the stem itself. For example:

(to write)	schreiben	→	**ge**schr**ie**ben
(to drink)	trinken	→	**ge**tr**u**nken

There is no set pattern for the vowel changes. See the Verb List on page 150 for a list of irregular past participles.

- ### Mixed verbs

To form the past participle of a mixed verb, you add **ge-** to the beginning of the *stem* but also change the *vowel* and add regular endings **-t** or **-et** to the end of the stem. For example:

(to think)	denken	→	**ge**d**a**ch**t**
(to know)	wissen	→	**ge**w**u**ß**t**

2.10 The perfect tense: separable verbs

To form the perfect tense of a separable verb, an auxiliary (**haben** or **sein**) is used in second place in the sentence. The *preposition* is added to the *front* of the past participle (before the **'ge-'**) at the end of the sentence. Here are some examples:

abfahren	Ich bin um Mitternacht **ab**gefahren.	*I set off at midnight.*
ankommen	Sie ist um zwei Uhr **an**gekommen.	*She arrived at two o'clock.*
aufstehen	Wir sind um sieben Uhr **auf**gestanden.	*We got up at seven o'clock.*
einschlafen	Wir sind um elf Uhr **ein**geschlafen.	*We went to sleep at eleven o'clock.*

2.11 The perfect tense: reflexive verbs

• Reflexive verbs with a direct object

In the perfect tense, reflexive verbs with a direct object consist of an auxiliary verb, a reflexive pronoun in the accusative following the auxiliary verb, and the past participle of the verb at the end of the sentence. Here are some examples:

Ich habe **mich** im Badezimmer **geduscht**.	*I had a shower in the bathroom.*
Er hat **sich erbrochen**.	*He was sick.*

• Reflexive verbs with an indirect object

Reflexive verbs with an indirect object in the perfect tense consist of an auxiliary verb, a reflexive pronoun in the dative, followed by the direct object (in the accusative) and the past participle of the verb at the end of the sentence. Here are some examples:

Meine Mutter hat **sich** den Fuß **verstaucht**.	*My mother has sprained her foot.*
Ich habe **mir** das linke Bein **gebrochen**.	*I have broken my left leg.*
NB Ich habe **mir** *in die* Hand geschnitten.	*I have cut my hand.*

2.12 The imperfect tense

• Regular (weak) verbs

To form the imperfect tense of regular verbs, take the stem by removing the **-en** or **-n** from the end of the infinitive, and then add the endings below:

spielen	→	spiel-	→	spiel**te**

ich	—— **-te**	(ich spiel**te**)
du	—— **-test**	(du spiel**test**)
er/sie/es	—— **-te**	(er/sie/es spiel**te**)
wir	—— **-ten**	(wir spiel**ten**)
ihr	—— **-tet**	(ihr spiel**tet**)
Sie	—— **-ten**	(Sie spiel**ten**)
sie	—— **-ten**	(sie spiel**ten**)

• Arbeiten, finden

When there is a **t** or a **d** near the end of the stem of a verb, you need to put an extra **e** between the stem and the regular ending. For example:

ich arbeit**e**te
wir arbeit**e**ten

- **Irregular (strong) verbs**

To form the imperfect tense of irregular verbs, you change the stem and add the endings below:

kommen →	komm- →	kam
ich	——	(ich kam)
du	—— -**st**	(du kam**st**)
er/sie/es	——	(er/sie/es kam)
wir	—— -**en**	(wir kam**en**)
ihr	—— -**t**	(ihr kam**t**)
Sie	—— -**en**	(Sie kam**en**)
sie	—— -**en**	(sie kam**en**)

NB For a full list of stem changes with irregular verbs in the imperfect tense, please see Verb List on page 150.

- **Mixed verbs**

To form the imperfect tense of mixed verbs, take the stem and change the vowel (as with irregular verbs) but add the endings for regular verbs. For example:

denken
ich dach**te**
du dach**test**
er dach**te**, etc

2.13 The imperfect tense: usage

The imperfect tense is mostly used in formal, written reports, e.g. newspapers, novels, and to describe repeated actions in the past. It is also used whenever English would use 'was' or 'were' to describe a continuous action, e.g. 'I was walking'. Here are some examples:

Ein Taxifahrer **rauchte** eine Zigarette.	A taxi driver was smoking a cigarette.
Sie **alarmierte** sofort eine Taxifirma.	She alerted a taxi company at once.
Jeden Tag **sagten** sie nichts zueinander.	They said nothing to each other each day.

NB Modal verbs and some common verbs such as **haben**, **sein**, **denken**, and **wissen** are often used in the imperfect in speech for the sake of simplicity. Here are some examples from Chapter 10:

Plötzlich **war** das Kind da.	Suddenly the child was there.
Zum Glück **wußte** ich, was zu tun war.	Luckily I knew what to do.

2.14 The imperfect tense: modal verbs

To form the imperfect tense of modal verbs, you (usually) change the vowel in the stem and then add the endings below. Here are the imperfect tenses of the modals you have met:

dürfen	können	mögen	müssen	wollen
ich durfte	ich konnte	ich mochte	ich mußte	ich wollte
du durftest	du konntest	du mochtest	du mußtest	du wolltest
er/sie/es durfte	er/sie/es konnte	er/sie/es mochte	er/sie/es mußte	er/sie/es wollte
wir durften	wir konnten	wir mochten	wir mußten	wir wollten
ihr durftet	ihr konntet	ihr mochtet	ihr mußtet	ihr wolltet
Sie durften	Sie konnten	Sie mochten	Sie mußten	Sie wollten
sie durften	sie konnten	sie mochten	sie mußten	sie wollten

3 Word order

German word order has a number of important rules. Some of the most important general ones are listed below.

3.1 Main verb in second place

The main verb in a main clause must be in *second* place.

1	2	3
Ich	**spiele**	Fußball

1	2	3	4
Heute	**spiele**	ich	Fußball.

3.2 Time, manner, place

When information about when, how, where things are being done is included in a clause, it must be given in the sequence 'time, manner, place' or 'when, how, where (to)'. Here are some examples:

	1 Wann	2 Wie	3 Wo/Wohin	
Ich bin	um Mitternacht	mit der Bahn	nach Duisburg	abgefahren.
Wir sind	um zwei Uhr	mit dem Bus	in Paris	angekommen.

4 Conjunctions

A conjunction is a word which joins clauses or parts of sentences together. For example the conjunctions **wenn**, **weil** and **daß** link a main clause with a subordinate clause. These conjunctions send the verb to the end of the subordinate clause. For example:

Main clause	Subordinate clause
Wir treffen uns vor dem Kino,	**wenn** es warm **ist**.

Here the conjunction always has a *comma* before it.
If the conjunction *starts* the sentence the verb is followed by a *comma* and then the *verb* of the main clause. For example:

Subordinate clause	Main clause
Wenn es warm **ist,**	**treffen** wir uns vor dem Kino.

4.1 Wenn

Wenn can mean '*if*', '*when*' or '*whenever*'. Here are some examples:

Wenn es **regnet, treffen** wir uns im Café.	*If it rains, we will meet in the café.*
Wenn ich unter einer Leiter **durchgehe, drück'** ich immer die Daumen.	*When I go under a ladder, I always cross my fingers.*
Ich **trage** immer rote Gummistiefel, **wenn** ich in die Stadt **gehe.**	*I wear red wellington boots whenever I go into town.*

4.2 Weil

Weil means '*because*'. Here are some examples:

Main clause	Subordinate clause
Mein Taschengeld reicht mir,	**weil** ich wenige Interessen **habe.**
Mein Taschengeld reicht mir nicht,	**weil** ich für ein Mofa **spare.**

4. 3 Daß

Daß means '*that*'. It is used with verbs like **denken**, **sagen** and **glauben** to report what someone says or thinks. Here are some examples:

Main clause	Subordinate clause
Die Eltern sagen,	**daß** sie gerne eine Einladung **bekommen.**
72% denken,	**daß** laute Musik in Ordnung **ist.**

4.4 Um ... zu

In German, purpose or intention (for example: *I'm going shopping **in order to** buy some carrots*) is expressed by the phrase **um ... zu. Um** always starts the subordinate clause. This is followed by the other information. Then comes the word **zu** before the *infinitive*, which goes to the end of the sentence, immediately after **zu**. Here are some examples:

Main clause	Subordinate clause
Ich stehe um halb fünf auf,	**um** die Tiere **zu füttern.**
Ich gehe einkaufen,	**um** ein Geschenk für meine Mutter **zu kaufen.**
Ich spare,	**um** ein Mofa oder ein neues Rad **zu kaufen.**

5 Possessive adjectives

The possessive adjectives (i.e. words for 'our', 'your', 'their') change according to the gender and case of the noun they are with. The endings are similar to those for **ein**, **kein**, etc. Here is a table of possessive adjectives in the nominative:

	Masc.	Fem.	Neut.	Pl.
my	mein	mein**e**	mein	mein**e**
your (e.g. friend)	dein	dein**e**	dein	dein**e**
his, its	sein	sein**e**	sein	sein**e**
her, its	ihr	ihr**e**	ihr	ihr**e**
its	sein	sein**e**	sein	sein**e**
our	unser	unser**e**	unser	unser**e**
your (e.g. friends)	euer	eu**re**	euer	eu**re**
your (formal)	Ihr	Ihr**e**	Ihr	Ihr**e**
their	ihr	ihr**e**	ihr	ihr**e**

Here are some examples of possessive adjectives:

Unsere Wohnung ist im sechsten Stock.	*Our flat is on the sixth floor.*
Wie heißen **eure** Haustiere?	*What are your pets' names?*
Ihr Paß, bitte.	*Your passport, please.*
Am Rande der Stadt liegt **ihr** Haus.	*Their house was on the outskirts of town.*

6 Cases

So far you have met three cases in German: nominative, accusative and dative.

Nominative

Words which are the *doer* (or subject) of the action described by a verb are in the *nominative* case. For example:

Mein Bruder öffnet das Fenster.
Die Katze schläft auf dem Sessel.

Accusative

Words which are having the action described by a verb *done to* them (the object) are in the *accusative* case. For example:

Mein Bruder öffnet **das Fenster**.

Dative

Words which come after certain prepositions are in the *dative* case. The dative case is also used as a shorthand way of saying *'to/from/for'*. Here are some examples:

Die Katze schläft auf **dem Sessel**.	*The cat sleeps on the seat.*
Er sitzt hinter **einem Baum**.	*He sits behind a tree.*
Mein Taschengeld reicht **mir** nicht.	*My pocket money is not sufficient for me.*

7 Prepositions

- ## Prepositions governing the dative

In Stage 1 you met some *prepositions* used with the *dative* case. The prepositions on the right are always used with the dative. For example:

Mit **dem** Hund	
Gegenüber von **der** Kirche	
Nach **dem** Abendessen	
Aus **dem** Haus	

**aus
bei
gegenüber von
mit
nach
seit
von
zu**

- ## Prepositions governing the accusative and dative

This group of prepositions are sometimes used with the accusative and sometimes with the dative, according to their meaning.

These prepositions are used with the accusative when they are describing *movement* from one place to another and with the dative when they are describing the *position* of something. Here are some examples:

**an
auf
hinter
in
neben
über
unter
vor
zwischen**

Accusative	Dative
Er ist **in das** Wohnzimmer gegangen.	Er ist **in dem** Wohnzimmer.
He went into the living room.	*He is in the living room.*
Hast du sie **an die** Wand gehängt?	Hängen sie **an der** Wand?
Have you hung them on the wall?	*Are they hanging on the wall?*
Du hast sie **auf den** Tisch gelegt.	Sie sind nicht **auf dem** Tisch.
You put them on the table.	*They are not on the table.*

- ## Abbreviated forms of prepositions

Some of these prepositions are shortened to an abbreviated form when followed by the dative forms of the definite article **dem** or **der**.

zu	+	**der**	=	**zur**	*e.g.* **zur Kirche**	*instead of* **zu der Kirche**
zu	+	**dem**	=	**zum**	*e.g.* **zum Bahnhof**	*instead of* **zu dem Bahnhof**
an	+	**dem**	=	**am**	*e.g.* **am Rande der Stadt**	*instead of* **an dem Rande der Stadt**
in	+	**dem**	=	**im**	*e.g.* **im Haus**	*instead of* **in dem Haus**

8 Adjective endings

When adjectives are separated by a verb from the noun they describe they have *no* endings.
For example:

Der Koffer ist **braun**.
Das Auto ist **rot**.
Die Frau ist ziemlich **alt**.

However, when the adjective comes in front of the noun it describes, the adjective takes an agreement ending. These endings change according not only to the gender, case and number of the noun they are with, but also according to what kind of article, if any, they are used with.

- **Adjective endings with the indefinite article**

The following set of adjective endings are used with the *indefinite* article **ein/eine/ein** and with **kein/keine/kein** and plural **keine**.

	Masculine	Feminine	Neuter	Plural
Nom.	ein alt**er** Mann	eine alt**e** Frau	ein alt**es** Dorf	keine alt**en** Frauen
Acc.	einen alt**en** Mann	eine alt**e** Frau	ein alt**es** Dorf	keine alt**en** Frauen

- **Adjectival endings with the definite article**

The following set of adjective endings are used with the *definite* article **der/die/das** (plural **die**).

	Masculine	Feminine	Neuter	Plural
Nom.	der alt**e** Mann	die alt**e** Frau	das alt**e** Dorf	die alt**en** Frauen
Acc.	den alt**en** Mann	die alt**e** Frau	das alt**e** Dorf	die alt**en** Frauen

9 Plurals of nouns

In German there are a number of ways of making plurals, and although they fall into some broad groupings which follow similar patterns, the most reliable way to get them right is to learn them at the same time as you learn the singular form of a noun and its gender! Here are some of the ways of forming plurals:

Add **-e**	ein Hund	→	zwei Hund**e**
Add **-n**	eine Katze	→	zwei Katze**n**
Add **-en**	ein Papagei	→	zwei Papagei**en**
Add **-s**	ein Kuli	→	zwei Kuli**s**
Add **Umlaut** to main vowel	eine Tochter	→	zwei T**ö**chter
Add **Umlaut** to main vowel and **-er**	ein Fach	→	zwei F**ä**ch**er**

10 Welcher/welche/welches

Welcher means *'which'*/*'what'* in a question. The endings on **welcher/welche/welches** are as follows in the nominative:

	Masculine	**Feminine**	**Neuter**	**Plural**
Nom.	Welch**er** Gast?	Welch**e** Party?	Welch**es** Mädchen?	Welch**e** Gäste?

Looking up verbs

Verbs are normally listed in dictionaries and glossaries in their infinitive form only.

If the verb you don't understand is being used in the future tense or with a modal verb, it will be in the infinitive already and can be found in this form in a dictionary. For example:

Future: Ich werde in einer Wurstfabrik **arbeiten**.	→	Look up **arbeiten**.
Modal: Willst du in die Stadt **gehen**?	→	Look up **gehen**.

If the verb is being used in the present, perfect or imperfect tense, it may be in a very different form and will need to be converted to the infinitive, in order to look it up. Regular verbs are more straightforward than irregular verbs. For example:

Present:	**Arbeitest** du in einem Büro?	→	Look up **arbeiten**.
Perfect:	Hast du Tennis **gespielt**?	→	Look up **spielen**.
Imperfect:	Er **wohnte** in Amerika.	→	Look up **wohnen**.

If the verb is irregular you may need to look for it on an alphabetical irregular verb list such as the one on page 150. For example:

Er **ging** nach Hause.	The list shows that **ging** is the imperfect of **gehen**.
Sie ist **umgezogen**.	The list shows that **umgezogen** is the past participle of **umziehen.**

- If you are not sure whether a verb is regular or irregular, check in the list of irregular verbs on page 150.
- If you want to use an irregular verb in the present, perfect or imperfect tense, you can refer to the list to check the correct form of the verb.
- There are groups of irregular verbs which follow identical patterns. If you wish to learn these verbs in clusters, ask your teacher for Copymasters 145 and 146.

Verbliste

Irregular Verbs

Infinitive (German)	Infinitive (English)	Present	Imperfect	Past Participle
anfangen	to begin/start	fängt … an	fing … an	angefangen
ankommen	to arrive		kam … an	angekommen*
anrufen	to phone/call		rief … an	angerufen
ansehen	to look at	sieht … an	sah … an	angesehen
anziehen	to put on		zog … an	angezogen
aufnehmen	to record	nimmt … auf	nahm … auf	aufgenommen
ausgeben	to spend	gibt … aus	gab … aus	ausgegeben
ausgehen	to go out		ging … aus	ausgegangen*
aussehen	to look/appear	sieht … aus	sah … aus	ausgesehen
aussteigen	to get out		stieg … aus	ausgestiegen*
ausziehen	to take off		zog … aus	ausgezogen
beginnen	to begin/start		begann	begonnen
bekommen	to receive/get		bekam	bekommen
beschließen	to decide		beschloß	beschlossen
beschreiben	to describe		beschrieb	beschrieben
besitzen	to own		besaß	besessen
betreten	to walk on	betritt	betrat	betreten
bitten	to ask		bat	gebeten
bleiben	to stay		blieb	geblieben*
brechen	to break	bricht	brach	gebrochen
brennen	to burn/be on fire		brannte	gebrannt
bringen	to bring/take		brachte	gebracht
denken	to think		dachte	gedacht
dürfen	to be allowed	darf	durfte	gedürft/dürfen
einladen	to invite/treat	lädt … ein	lud … ein	eingeladen
einschlafen	to go to sleep	schläft … ein	schlief … ein	eingeschlafen*
einsteigen	to get in		stieg … ein	eingestiegen*
empfehlen	to recommend	empfiehlt	empfahl	empfohlen
enthalten	to contain	enthält	enthielt	enthalten
entscheiden	to decide		entschied	entschieden
sich erbrechen	to vomit	erbricht sich	erbrach sich	sich … erbrochen
erfahren	to experience/learn	erfährt	erfuhr	erfahren
erfinden	to invent		erfand	erfunden
erkennen	to recognise		erkannte	erkannt
essen	to eat	ißt	aß	gegessen
fahren	to go/travel	fährt	fuhr	gefahren*
fallen	to fall	fällt	fiel	gefallen*
fangen	to catch	fängt	fing	gefangen
fernsehen	to watch TV	sieht … fern	sah … fern	ferngesehen
finden	to find		fand	gefunden
fliegen	to fly		flog	geflogen*
frieren	to freeze		fror	gefroren
geben	to give	gibt	gab	gegeben
gefallen	to please	gefällt	gefiel	gefallen
gehen	to go/walk		ging	gegangen*
geschehen	to happen	geschieht	geschah	geschehen*
gewinnen	to win		gewann	gewonnen
haben	to have	hat	hatte	gehabt

halten	to hold/stop	hält	hielt	gehalten
hängen	to hang		hing	gehangen
helfen	to help	hilft	half	geholfen
hintun	to put		tat ... hin	hingetan
kennen	to know		kannte	gekannt
kommen	to come		kam	gekommen*
können	to be able	kann	konnte	gekonnt/können
lassen	to let	läßt	ließ	gelassen
laufen	to run	läuft	lief	gelaufen*
leihen	to lend		lieh	geliehen
lesen	to read	liest	las	gelesen
liegen	to lie/be situated		lag	gelegen
mögen	to like	mag	mochte	gemocht/mögen
müssen	to have to/must	muß	mußte	gemußt/müssen
nehmen	to take	nimmt	nahm	genommen
reiten	to ride (a horse)		ritt	geritten*
rennen	to race		rannte	gerannt*
rufen	to call/shout		rief	gerufen
schießen	to shoot		schoß	geschossen
schlafen	to sleep	schläft	schlief	geschlafen
schlagen	to hit/strike	schlägt	schlug	geschlagen
schließen	to shut/close		schloß	geschlossen
schneiden	to cut		schnitt	geschnitten
schreiben	to write		schrieb	geschrieben
sehen	to see	sieht	sah	gesehen
sein	to be	ist	war	gewesen*
singen	to sing		sang	gesungen
sitzen	to sit		saß	gesessen
sollen	to ought to/should	soll	sollte	gesollt/sollen
sprechen	to speak	spricht	sprach	gesprochen
springen	to jump		sprang	gesprungen
stehen	to stand		stand	gestanden
stehlen	to steal	stiehlt	stahl	gestohlen
steigen	to climb/go up		stieg	gestiegen*
tragen	to wear/carry	trägt	trug	getragen
treffen	to meet	trifft	traf	getroffen
tun	to do		tat	getan
umsteigen	to change (trains)		stieg ... um	umgestiegen*
umziehen	to move (house)		zog ... um	umgezogen*
verbringen	to spend (time)		verbrachte	verbracht
vergessen	to forget	vergißt	vergaß	vergessen
vergleichen	to compare		verglich	verglichen
verlassen	to leave	verläßt	verließ	verlassen
verlieren	to lose		verlor	verloren
verschwinden	to disappear		verschwand	verschwunden*
versprechen	to promise	verspricht	versprach	versprochen
verstehen	to understand		verstand	verstanden
vorschlagen	to suggest	schlägt ... vor	schlug ... vor	vorgeschlagen
waschen	to wash	wäscht	wusch	gewaschen
(weh) tun	to hurt		tat (weh)	(weh) getan
werden	to become/get	wird	wurde	geworden*
wollen	to want	will	wollte	gewollt/wollen
zerreißen	to tear up		zerriß	zerrissen
ziehen	to pull		zog	gezogen

* indicates those verbs which take **sein** in the perfect tense. For example:

ankommen	Sie **ist** angekommen.	*She arrived.*

Wortschatz

A

ab from
abdecken to cover
der Abend(e) evening
abends in the evenings
das Abendessen(-) supper
das Abenteuer(-) adventure
aber but
der Aberglauben superstition
abergläubisch superstitious
abfahren to leave
die Abfahrt(en) departure
der Abfahrtski downhill skiing
abheben to withdraw
abholen to collect
das Abitur(e) German exam
ablaufen to run away
abliefern to deliver
Abschied nehmen to depart
die Abschiedsparty(s) farewell party
abschließbar lockable
das Abschlußfest(e) school leaving party
absetzen to drop off
absolut absolute(ly)
abspülen to wash up
sich abwechseln to take turns
Achtung! watch out!
das Adjektiv(e) adjective
das Adverb(ien) adverb
die Affäre(n) affair
Afrika Africa
Ägypten Egypt
ägyptisch Egyptian
ähnlich similar
die Ahnung(en) idea
keine Ahnung no clue
die Aktion(en) action
akzeptabel acceptable
akzeptieren to accept
alarmieren to alert
der Alkohol alcohol
alle/alles all/everything
allerbeste best
alles klar OK
allein(e) alone
allerdings though
allergisch allergic
allerlei all kinds of
im allgemeinen generally
alliiert allied
allmählich gradually
alltäglich everyday
das Alltagsleben(-) daily life
die Alpen alps
der Alptraum("e) nightmare

als as, when
also so, therefore
alt old
das Alter(-) age
das Altersheim(e) old people's home
die Alufolie(n) foil
Amerika America
amerikanisch American
die Ampel(n) traffic lights
amüsant amusing
sich amüsieren to amuse oneself
an at, on
an sich in itself
andere/r/s other(s)
andererseits on the other hand
anders different
anderthalb one and a half
am Anfang at the start
anfangen to begin
nach Angaben according to
angeben to say, state
angekettet chained together
angeln to fish
angenehm pleasant
der Angestellte(n) employee
Angst haben to be afraid
ankommen to arrive
die Ankunft("e) arrival
anmalen to paint
der Anorak(s) anorak
anprobieren to try on
der Anrufbeantworter(-) answerphone
anrufen to ring up
sich anschauen to look at
anspornen to encourage
der Anspruch("e) demand
anstreichen to paint
anstrengend exhausting
die Antibiotika antibiotics
antreten to begin
die Antwort(en) answer
die Anzahl number
die Anzeige(n) advert
sich anziehen to get dressed
der Anzug("e) suit
die Apotheke(n) chemists
am Apparat on the phone
applaudieren to clap
die Arbeit(en) work, job
arbeiten to work
die Arbeitslosigkeit unemployment
der Architekt(en)/die Architektin(nen) architect
Argentinien Argentina

der Ärger trouble
sich ärgern to get annoyed
arktisch arctic
der Arm(e) arm
die Armee(n) army
arrangieren to arrange
die Art(en) type, kind
der Artikel(-) article
der Arzt("e)/die Ärztin(nen) doctor
astrein fantastic
der Astronaut(en) astronaut
der Atem breath
die Atmosphäre(n) atmosphere
attraktiv attractive
auch too, also
auf on
auffindbar to be found
die Aufgabe(n) exercise
aufhalten to stop, delay
sich aufhalten to stay
aufhören to stop
aufklappen to open up
aufklären to explain
die Aufklärung(en) explanation
aufmachen to open
aufnehmen to record
aufpassen to watch out
aufräumen to tidy up
aufsammeln to gather
der Aufsatz("e) essay
aufstehen to get up
aufteilen to divide
der Auftrag("e) task
auftreten to appear, crop up
aufwachsen to grow up
das Auge(n) eye
im Augenblick at the moment
die Augenschmerzen sore eyes
die Aula (Aulen) hall
aus out, from
die Ausbildung(en) education, training
das Ausdauertraining stamina training
der Ausdruck("e) expression
der Ausflug("e) excursion
ausfüllen to fill in
ausgeben to spend
ausgefallen unusual
ausgeglichen balanced
ausgehen to go out
das Ausgehverbot grounding
ausgelastet fully occupied
auskommen to get on with
die Auskunft("e) information
im Ausland abroad

der **Ausländer(-)** foreigner
ausländisch foreign
ausleihen to lend
ausmisten to muck out
ausnutzen to take advantage of
auspacken to unpack
ausräumen to clear out
ausrechnen to calculate
die **Ausrede(n)** excuse
die **Ausrüstung** equipment
die **Aussage(n)** statement
aussehen to look
außer apart from
außerdem moreover
außergewöhnlich extraordinary
außerirdisch extraterrestrial
äußerst extreme(ly)
die **Aussprache(n)** pronunciation
aussteigen to get out
die **Ausstellung(en)** exhibition
aussuchen to pick
der **Austausch** exchange
austragen to deliver
Australien Australia
die **Auswahl** selection
auswählen to choose
die **Auswandererfamilie(n)** emigrant family
auswendig (off) by heart
die **Auswirkung(en)** effect
das **Auto(s)** car
die **Autobahn(en)** motorway
das **Autogramm(e)** autograph
automatisch automatic(ally)
der **Autoschlüssel(–)** car key
die **Autowerkstatt(¨en)** car workshop

B

babysitten to babysit
der **Bäcker(-)** baker
der **Badeanzug(¨e)** swimming costume
der **Badesee(n)** swimming lake
die **Badewanne(n)** bath tub
das **Badezimmer(-)** bathroom
die **Bahn(en)** railway
der **Bahnhof(¨e)** station
bald soon
bis bald see you soon
die **Banane(n)** banana
die **Band(s)** band, group
die **Bank(en)** bank
das **Bankkonto(-ten)** bank account
das **Bargeld** cash
der **Bart(¨e)** beard
basteln to make
der **Bau** building, construction
der **Bauarbeiter(-)** builder
bauen to build
der **Bauer(n)** farmer

der **Bauernhof(¨e)** farm
das **Baujahr** year of make
der **Baum(¨e)** tree
die **Baumwolle** wool
der **Beamte(n)** official
beantworten to answer
bedecken to cover
sich **bedienen** to help yourself
sich **beeilen** to hurry
beenden to end
befolgen to follow
befragen to ask
befreien to free
befürchten to fear
begegnen to meet
begeistert enthusiastic
beginnen to begin
begründen to found, justify
die **Behandlung** treatment
behaupten to claim
beherrschen to master
behindert disabled
der **Behinderte(n)** disabled person
bei at the house of, by
beide both
das **Bein(e)** leg
zum **Beispiel** for example
sich **beklagen** to complain
bekleidet dressed up
bekommen to get
belästigt bothered
bellen to bark
bemerken to notice
die **Bemerkung(en)** comment
sich **benehmen** to behave
benötigen to need
benutzen to use
das **Benzin** petrol
beobachten to observe
bequem comfortable
der **Berg(e)** mountain
bergab downhill
bergauf uphill
der **Bergsteiger(-)** mountaineer
der **Bericht(e)** report
berücksichtigen to take into account
der **Beruf(e)** job
das **Berufspraktikum** work experience
die **Berufsschule(n)** technical college
beruhen (auf) to be based (on)
berühmt famous
beschädigen to damage
Bescheid sagen to inform
beschränkt restricted
beschreiben to describe
die **Beschreibung(en)** description
sich **beschweren** to complain

besetzen to occupy
besitzen to own
der **Besitzer(-)** owner
besonder/e/es special
besonders special(ly)
besser better
beste(r) best
bestimmt certain(ly)
der **Besuch(e)** visit
zu **Besuch sein** to visit
besuchen to visit
beten to pray
beteuern to declare
beträchtlich considerable
der **Betrag(¨e)** contribution
der **Betriebswirt** management expert
der **Betrunkene(n)** drunkard
das **Bett(en)** bed
beunruhigen to worry
der **Beutel(-)** bag
bevor before
das **Beweismittel** means of evidence
sich **bewerben um** to apply for
der **Bewerbungsbrief(e)** letter of application
bezahlen to pay
in **bezug auf** with regard to
das **Bier(e)** beer
die **Bilanz** balance
das **Bild(er)** picture
die **Bildgeschichte(n)** picture story
bilden to make
billig cheap
binden to bind
Biologie biology
der **Birkenbaum(¨e)** birch tree
bis until
bisher until now
ein **bißchen** a bit
bitte please
bitte schön not at all
bitten to ask
das **Blatt(¨er)** piece (of paper)
blau blue
bleiben to stay
blitzschnell quick as a flash
das **Blockdiagramm(e)** pie chart
der **Blödsinn** rubbish
blühen to blossom
die **Blume(n)** flower
die **Bluse(n)** blouse
null Bock haben to have no wish to
der **Boden(¨)** floor
der **Bogen(-)** bow, curve
Bogen schießen(-) archery
die **Bonbons** sweets
das **Boot(e)** boat
böse angry
die **Branche(n)** branch
Brasilien Brazil
braten to fry

brauchen to need, take
braun brown
brav good, well-behaved
breit wide
brennend burning
das **Brett(er)** board
der **Brief(e)** letter
der **Brieffreund(e)/die Brieffreundin(nen)** penfriend
die **Briefmarke(n)** stamp
die **Brille(n)** glasses
bringen to bring
die **Broschüre(n)** brochure
das **Brot(e)** bread
das **Brötchen(-)** roll
die **Brücke(n)** bridge
der **Bruder(¨)** brother
das **Brummen** buzz
der **Brunnen** fountain
das **Buch(¨er)** book
buchen to reserve, book
der **Buchstabe(n)** letter
bügeln to iron
die **Bundesbahn** German railway
der **Bundeskanzler(-)** German chancellor
der **Bundespräsident(en)** German president
die **Bundesrepublik** Federal Republic
der **Bundesstaat(en)** federal state
das **Bungeespringen** bungee jumping
bunt colourful
der **Bürgersteig(e)** pavement
das **Büro(s)** office
der **Bus(se)** bus
der **Busbahnhof(¨e)** bus station
der **Busbenutzer(-)** bus passenger
der **Busführerschein(e)** bus driving licence
die **Bushaltestelle(n)** bus stop
bzw. (beziehungsweise) or

C

die **CD(s)** CD
der **Champagner** champagne
die **Chance(n)** opportunity, chance
das **Chaos** chaos
charakterlos characterless
der **Chef(s)** boss
der **Comic(s)** comic strip
der **Comiczeichner(-)** cartoonist
der **Computer(-)** computer
der **Cousin(s)** cousin

D

da there
dabei thereby, so
dabei sein to be there

das **Dach(¨er)** roof
damals then
danach afterwards
dankbar grateful
danke schön thanks a lot
dann then
darauf after that
darum therefore
das the, that
daß that
die **Datenverarbeitung** data processing
das **Datum (Daten)** date
dauern to last
etw **dauernd tun** to keep doing something
der **Daumen(-)** thumb
die **Definition(en)** definition
dein your
dekorieren to decorate
die **Demokratie** democracy
die **Demonstration(en)** demonstration
denken to think
denn because
deponieren to deposit
deprimierend depressing
deprimiert depressed
der the
deshalb therefore
das **Desinteresse** lack of interest
deswegen therefore
die **Detektivagentur(en)** detective agency
deutlich clearly
Deutsch German
auf deutsch in German
Deutschland Germany
d.h. i.e.
das **Diagramm(e)** chart, map
der **Dialog(e)** dialogue
der **Diamant(en)** diamond
die **Diät(en)** diet
dich you
dicht thick, dense
dick fat
die the
der **Dieb(e)** thief
die **Dienstpistole(n)** duty pistol
diese/r/s this
das **Dieselabgas** diesel exhaust
dieselben the same
diesmal this time
diktieren to dictate
das **Ding(e)** thing
dir (to) you
direkt direct(ly)
das **Direktobjekt(e)** direct object
die **Disco(s)** disco
die **Diskussion(en)** discussion
diskutieren to discuss
doch but
doof stupid
das **Dorf(¨er)** village

dort there
die **Dose(n)** can
die **Dosis (Dosen)** dose
das **Drachenfliegen** hang-gliding
draußen outside
dreimal three times
drinnen inside
zu **dritt** in threes
der **Drogenhandel** drugs trade
der **Drogenkonsum** drug-taking
drohen to threaten
drücken to press, push
du you
der **Duft(¨e)** scent
dumm silly
dunkel dark
im **Dunkeln** in the dark
durch through
durchkämmen to comb through
durchnäßt soaked through
durchrasen to race through
durchschnittlich average
dürfen to be allowed to
Durst haben to be thirsty
die **Dusche(n)** shower
sich **duschen** to have a shower
dynamisch dynamic

E

das **Echo(s)** echo
echt really, true
die **Ecke(n)** corner
der **EDV-Beruf(e)** computer job
egal sein not to care
mir ist egal I don't care
egoistisch egoistic
ehemalig former
eher rather, sooner
am **ehesten** most
ehrlich honest(ly)
die **Ehrung(en)** honour
das **Ei(er)** egg
ein gekochtes Ei boiled egg
das **Eibenholz** yew wood
eigene/r/s own
eigentlich really
ein a, one
einatmen to breathe in
einbauen to install
der **Eindruck(¨e)** impression
einfach just, easy, single ticket
einfühlsam sensitive
die **Einfuhr(en)** import
eingebildet conceited
die **Einheit(en)** unit
einig sein to be agreed
einkaufen to shop
das **Einkaufen** shopping
der **Einkaufswagen(-)** shopping trolley
einladen to invite
einmal once

auf einmal suddenly
einordnen to arrange, order
einsam lonely
die **Einsamkeit** loneliness
einsammeln to collect
einschlafen to fall asleep
einsetzen to put in
sich **einsetzen** to support
einsortieren to sort out
einsparen to save
die **Einstellung(en)** attitude
der **Eintopf("e)** stew
eintragen to fill in
einverstanden agreed
der **Einwohner(-)** inhabitant
die **Einzahl** singular
einzeichnen to draw
einzig single
das **Eis** ice (cream)
der **Eisbär(en)** polar bear
die **Eisenbahnbrücke(n)** railway bridge
das **Eislaufen** ice skating
die **Eissporthalle(n)** ice rink
ekelhaft disgusting
der **Elefant(en)** elephant
elegant elegant
der **Elektriker(-)** electrician
elektronisch electronic
der **Ellbogen(-)** elbow
die **Eltern** parents
der **Empfänger(-)** recipient
das **Ende(n)** end
endlich at last, finally
das **Endspiel(e)** final
die **Energie** energy
England England
englisch English
enorm enormous
die **Ente(n)** duck
entfernt away
die **Entfernung** distance
entgehen to escape
enthalten to contain
entlasten to relieve
entscheiden to decide
die **Entscheidung(en)** decision
der **Entschluß(-schlüsse)** decision
Entschuldigen Sie excuse me
entstehen to come into being
entweder oder either or
entwerfen to sketch, design
die **Episode(n)** episode
er he
erbeuten to carry off, capture
sich **erbrechen** to be sick
die **Erde(n)** earth
erfahren to discover, find out
die **Erfahrung(en)** experience
erfinden to invent
der **Erfolg(e)** success
erfolgreich successful
ergänzen to complete
das **Ergebnis(se)** result

erhalten to get
erkältet sein to have a cold
die **Erkältung(en)** cold
erkennen to recognise
erklären to explain
die **Erklärung(en)** explanation
erleben to experience
das **Erlebnis(se)** experience
erleiden to suffer
ermordet murdered
die **Ernährung** food
eröffnen to open
erraten to guess
erreichen to reach
errichten to put up
erscheinen to appear
erschießen to shoot
erschöpft exhausted
erst not till, only
erst seit just since
erst(e) first
erstaunlich amazing
erstaunt amazed
ersticken to suffocate
erstmal first
erwachsen grown up
erwähnen to mention
erwarten to expect
erzählen to tell
erziehen to bring up
die **Erziehung** up-bringing
es it
das **Essen** food
essen to eat
etwas something
etwas anderes something else
euch (to) you
euer your
Europa Europe
europäisch European
existieren to exist
der **Experte(n)** expert
explodieren to explode
die **Explosion(en)** explosion
extrem extreme(ly)
der **Extremist(en)** extremist

F

die **Fabrik(en)** factory
die **Fachschule(n)** technical school
das **Fachwerkhaus("er)** half-timbered house
die **Fähre(n)** ferry
fahren to go, drive
der **Fahrer(-)** driver
der **Fahrgast("e)** passenger
die **Fahrgemeinschaft(en)** car pool
der **Fahrkartenschalter(-)** ticket counter
der **Fahrplan("e)** timetable
das **Fahrrad("er)** bicycle
die **Fahrt(en)** journey

der **Fall("e)** case, fall
auf jeden Fall in any case
fallen to fall
falls in case
das **Fallschirmspringen** parachute jumping
falsch wrong
die **Falte(n)** crease, wrinkle
die **Familie(n)** family
das **Familienmitglied(er)** family member
der **Fan(s)** fan
fangen to catch
die **Fantasie** imagination
fantastisch fantastic
die **Farbe(n)** colour
der **Faschingsdienstag** Shrove Tuesday
fassen to believe, catch
die **Fassung(en)** version
fast almost
faszinierend fascinating
faul lazy
der **Fausthieb(e)** punch
fehlen to be missing, miss
was fehlt dir? what's up?
der **Fehler(-)** mistake
feiern to celebrate
der **Feiertag(e)** bank holiday
fein fine
das **Femininum** feminine
das **Fenster(-)** window
die **Fensterscheibe(n)** windowpane
die **Ferien** holidays
die **Ferne** distance
fernsehen to watch television
im **Fernsehen** on television
der **Fernseher(-)** television set
der **Fernsehsender(-)** television channel
die **Fernsehsendung(en)** television programme
fertig finished, ready
fertig werden to finish
fest firm(ly)
festmachen to fasten
festnehmen to arrest
feucht damp
das **Feuer(-)** fire
die **Feuerwehr** fire brigade
das **Fieber(-)** fever, temperature
die **Figur(en)** figure
der **Film(e)** film
der **Finalist(en)** finalist
finden to find
der **Finder(-)** finder
Finnland Finland
die **Firma (Firmen)** company
der **Fisch(e)** fish
die **Fitneß** fitness
flach flat
die **Flasche(n)** bottle
das **Fleisch** meat

die **Fleischwunde(n)** flesh wound
fleißig hard-working
flexibel flexible
flicken to mend
fliegen to fly
fliehen to flee
flirten to flirt
die **Flöte(n)** recorder
der **Fluch(¨e)** curse
der **Flug(¨e)** flight
der **Fluggast(¨e)** flight passenger
der **Flughafen(¨)** airport
die **Flugstrecke(n)** flying distance
das **Flugzeug(e)** plane
der **Flur(e)** hall, corridor
folgend following
fordern to demand
der **Forscher(-)** researcher
die **Forstwirtschaft** forestry
der **Fotoapparat(e)** camera
die **Fotogeschichte(n)** photo story
der **Fotograf(en)** photographer
die **Frage(n)** question
fragen to ask
fragend enquiring
der **Franc** frank
Frankreich France
französisch French
die **Frau(en)** woman, Mrs, wife
das **Freibad(¨er)** open air pool
im **Freien** in the open air
freigeben to legalise
die **Freiheit** freedom
die **Freizeit** free time
die **Freizeitbeschäftigung(en)** hobby
die **Fremdsprache(n)** foreign language
fressen to eat (animals)
sich **freuen auf** to look forward to
der **Freund(e)** (boy)friend
die **Freundin(nen)** (girl)friend
freundlich friendly
mit freundlichem Gruß with best wishes
der **Frieden(-)** peace
sich **frisch machen** to freshen up
der **Friseursalon(s)** hairdressers
die **Friseuse(n)** hairdresser (f)
früh early
das **Frühstück(e)** breakfast
frühstücken to have breakfast
frustriert frustrated
sich **fügen** to comply with
sich **fühlen** to feel
führen to take, lead
das **Fundbüro(s)** lost property office
über **Funk** via radio
funktionieren to work
für for
furchtbar dreadful
der **Fuß(¨e)** foot
der **Fußball** football

die **Fußballmannschaft(en)** football team
der **Fußballspieler(-)** footballer
der **Fußgänger(-)** pedestrian
füttern to feed

G

die **Gabel(n)** fork
ganz quite, completely
gar nicht not at all
garantiert guaranteed
der **Garten(¨)** garden
der **Gast(¨e)** guest
der **Gastgeber(-)** host
der **Gasthof(¨e)** guest house
das **Gebäude(-)** building
geboren born
die **Gebühr(en)** fee
die **Geburt(en)** birth
die **Geburtshilfe(n)** midwifery
die **Geburtstagsfeier(n)** birthday party
das **Gedächtnis** memory
das **Gedächtnisspiel(e)** memory game
das **Gedicht(e)** poem
Sehr **geehrte/r** dear (on a letter)
geeignet suitable
gefährlich dangerous
mir **gefällt (nicht)** I (don't) like
gefärbt dyed
das **Gefühl(e)** feeling
gegen against, about
die **Gegend(en)** area
der **Gegenstand(¨e)** object
im **Gegenteil** on the contrary
gegenüber (von) opposite
die **Gegenwart** present
das **Geheimnis(se)** secret
gehen to go, walk
das **Gehirn(e)** brain
das **geht** that's OK
wie **geht's?** how are you?
der **Geizhals(¨e)** miser
das **Gel(e)** gel
gelangweilt bored
gut **gelaunt** in a good mood
gelb yellow
das **Geld(er)** money
der **Geldbeutel(-)** purse
der **Geldschein(e)** note
der **Geldverschwender** money waster
Geld regiert die Welt money makes the world go round
geldgierig greedy
die **Gelegenheit(en)** opportunity
gelegentlich sometimes
gemein mean
gemeinsam together
gemeinsam haben to have in common

die **Gemeinsamkeit(en)** similarity
die **Gemeinschaft(en)** community
das **Gemüse(-)** vegetables
gemütlich cosy
genau exact(ly)
generell generally
genial super
geniessen to enjoy
genug enough
genügen to be enough
das **Gepäck** luggage
gepunktet dotted
gerade just
geraten to get
das **Geräteturnen** apparatus gymnastics
das **Geräusch(e)** noise
das **Gericht(e)** dish
gern like, with pleasure
das **Gerüst(e)** scaffolding
die **Gesamtsumme(n)** total sum
das **Geschäft(e)** shop
geschehen to happen
das **Geschenk(e)** present
die **Geschichte(n)** history, story
geschickt skilled
der **Geschmack(¨en)** taste
die **Geschwister** brothers and sisters
die **Gesellschaft(en)** company, society
das **Gesicht(er)** face
gespannt excited
gestern yesterday
gestreift striped
gesund healthy
die **Gesundheit** health, bless you!
gesundheitsbewußt health conscious
geteilt divided
das **Getränk(e)** drink
gewinnen to win
die **Gewohnheit(en)** habit
gewöhnlich usually
es **gibt** there is
der **Gipfel(-)** summit, peak
die **Gitarre(n)** guitar
das **Glas(¨er)** glass
das **Glasauge(n)** glass eye
glauben to believe
gleich soon, the same
gleichen to be the same
die **Gleichheit** equality
das **Gleis(e)** platform
der **Gletscher(-)** glacier
zum **Glück** luckily
glücklicherweise luckily
der **Glückspilz(e)** lucky beggar
das **Gold** gold
gönnen not to begrudge
Gott sei Dank thank God
das **Grab(¨er)** grave
die **Graffitiwand(¨e)** graffiti wall

die **Grafik** graphics
die **Grammatik** grammar
das **Gras("er)** grass
grau grey
grausam cruel
die **Grenze(n)** border
der **Grenzsoldat(en)** border soldier
die **Griechin(nen)** Greek (f)
der **Griff(e)** handle
die **Grippe(n)** flu
Grönland Greenland
groß big
Großbritannien Great Britain
die **Größe(n)** size
im **großen und ganzen** on the whole
die **Großstadt("e)** big city
grün green
der **Grund("e)** reason
gründen to found
die **Gruppe(n)** group
grüßen to greet
gucken to look
der **Gummistiefel(-)** wellington boot
gut good
alles **Gute** all the best
das **Gymnasium (Gymnasien)** grammar school

H

das **Haar(e)** hair
haben to have
der **Hafen(")** harbour
hageln to hail
halb half
halb acht half past seven
die **Hälfte(n)** half
hallo hello
der **Hals("e)** neck
die **Halsschmerzen** sore throat
halten to stop
sich **halten** to keep
die **Haltestelle(n)** bus stop
hämmern to hammer
die **Hand("e)** hand
das **Handgelenk(e)** wrist
der **Handwerker(-)** manual worker
hängen to hang
hängenlassen to let down
harmlos harmless
hart hard
der **Hase(n)** hare
häßlich ugly
hau(t) ab go away
der **Haufen(-)** pile
häufig frequently
die **Hauptsache(n)** main thing
die **Hauptstadt("e)** capital city
die **Hauptstraße** High Street
das **Haus("er)** house
die **Hausaufgaben** homework
der **Hausbesitzer(-)** home owner

zu **Hause** at home
die **Haut("e)** skin
das **Heft(e)** exercise book
heimkommen to come home
heiraten to marry
heiser hoarse
heiß hot
der **Heißluftballon(s)** hot air balloon
helfen to help
hell light, bright
der **Helm(e)** helmet
das **Hemd(en)** shirt
heranbringen to bring over
heraus out of
herausfinden to find out
die **Herausforderung(en)** challenge
der **Herbst** autumn
herrschen to reign, rule
herumsitzen to sit about
herzlich kindly
herzlich willkommen welcome
heute today
heute abend this evening
heutige of today
heutzutage these days
die **Hexe(n)** witch
hier here
die **Hilfe(n)** help
die **Hilfsorganisation(en)** relief organisation
hilfsbereit helpful
der **Himmel(-)** sky
hin und her here and there
hin und zurück return ticket
hinauffahren to go up
sich **hinlegen** to lie down
hinten behind
hinter behind
hintun to put
hinunterkommen to come down
der **Hinweis(e)** tip, advice
hinzufügen to add, continue
das **Hobby(s)** hobby
hoch high
hoffen to hope
hoffentlich hopefully
die **Hoffnung(en)** hope
die **Höhe** height
höher higher
holen to fetch
das **Holz("er)** wood
der **Honig** honey
hören to listen
die **Hose(n)** trousers
das **Hotel(s)** hotel
der **Hubschrauber(-)** helicopter
der **Hügel(-)** hill
hügelig hilly
der **Humor(e)** humour
der **Hund(e)** dog

die **Hundehütte(n)** kennel
Hunger haben to be hungry
hungrig hungry
der **Hut("e)** hat
die **Hygiene** hygiene

I

ich I
ideal ideal
die **Idee(n)** idea
identifizieren to identify
der **Idiot(en)** idiot
das **Igluzelt(e)** igloo tent
ihm (to) him
ihn him
ihnen (to) them
Ihnen you
ihr (to) her, their
Ihr your
illustrieren to illustrate
immer always
immer noch still
immer schlimmer worse and worse
immer wieder now and again
improvisieren to improvise
in in
Indien India
indianisch Indian
indirekt indirect(ly)
die **Infektion(en)** infection
der **Infinitiv(e)** infinitive
die **Informatik** computer studies
die **Informationen** information
informieren to inform
der **Ingenieur(e)** engineer
innerhalb within
die **Insel(n)** island
insgesamt all together
integrieren to integrate
interessant interesting
interessanterweise interestingly
das **Interesse(n)** interest
sich **interessieren** to be interested
das **Interview(s)** interview
interviewen to interview
der **Ire(n)** Irishman
irgendwann sometime
irgendwie somehow
irgendwo somewhere
Irland Ireland
irisch Irish
Italien Italy
italienisch Italian

J

ja yes
die **Jacke(n)** jacket
das **Jahr(e)** year
jahrelang for years
das **Jahrhundert(e)** century
das **Jahrzehnt(e)** decade

der **Jahrmarkt("e)** funfair
Japan Japan
japanisch Japanese
die **Jeans(-)** jeans
  die **Jeansweste(n)** jeans waistcoat
jede/r/s each, every
jederzeit anytime
jedesmal each time
jedoch but, however
jemand somebody
jetzt now
jeweils each time
der **Job(s)** job
der **Jogginganzug("e)** tracksuit
der **Journalist(en)** journalist
alle **Jubeljahre** once in a blue moon
das **Judotraining** judo training
die **Jugendarbeit** youth work
jugendgerecht suitable for young people
die **Jugendherberge(n)** youth hostel
der **Jugendklub(s)** youth club
der **Jugendliche(n)** teenager
jung young
der **Junge(n)** boy
der **Jurist(en)** lawyer

K

der **Kaffee(s)** coffee
kalt cold
die **Kälte** coldness
die **Kamera(s)** camera
der **Kamerad(en)** friend
die **Kampagne(n)** campaign
Kanada Canada
der **Kandidat(en)** candidate
das **Kanu(s)** canoe
  das **Kanufahren** canoeing
kaputtgehen to break
kaputtmachen to break
das **Karat(e)** carat
kariert checked
karikieren to caricature
die **Karriere(n)** career
die **Kartoffel(n)** potato
  die **Kartoffelchips** crisps
der **Käse(-)** cheese
die **Kasse(n)** cash till
  der **Kassenzettel(-)** receipt
die **Kassette(n)** tape
  die **Kassettenaufnahme(n)** tape recording
das **Kästchen(-)** small box
der **Kasten("")** box
der **Katalysator** catalytic converter
katastrophal catastrophic
die **Katastrophe(n)** catastrophe
die **Katze(n)** cat
kaufen to buy
die **Kauffrau(en)** business woman
das **Kaufhaus("er)** department store

kaum hardly
kegeln to bowl
kein(e) not a, nobody
keinesfalls not at all
der **Keller(-)** cellar
die **Kellnerin(nen)** waitress
kennenlernen to get to know
die **Kerze(n)** candle
das **Kettenspiel(e)** chain game
das **Keyboard** keyboard
das **Kilogramm(e)** kilogramme
der **Kilometer(-)** kilometre
das **Kind(er)** child
  der **Kindergarten("")** nursery school
  kindergerecht suitable for children
  kindisch childish
das **Kino(s)** cinema
der **Kiosk(e)** kiosk
die **Kirche(n)** church
die **Klamotten** clothes
klappen to work
die **Klasse(n)** class
klatschnaß soaked through
kleben to stick
das **Kleid(er)** dress
die **Kleider** clothes
der **Kleiderschrank("e)** wardrobe
die **Kleidung** clothing
klein small
die **Kleinanzeige(n)** small advert
die **Kleinigkeit(en)** small thing
die **Kleinstadt("e)** small town
das **Klima(s)** climate
klingeln to ring
klingen to sound
die **Klinik(en)** clinic
das **Klischee(s)** cliché
das **Klo(s)** loo
knallblau bright blue
knapp just
die **Kneipe(n)** pub
das **Knie(-)** knee
der **Knopf("e)** button
knutschen to kiss and cuddle
der **Koffer(-)** suitcase
der **Kollege(n)** colleague
der **Kombi(s)** estate car
komisch funny, strange
kommen to come
der **Kommentar(e)** commentary
kommentieren to comment
die **Kompanie(n)** company (army)
der **Komparativ(e)** comparative
die **Konferenz(en)** conference
die **Konfliktsituation(en)** conflict situation
der **König(e)** king
die **Königin(nen)** queen
konkurrenzlos without competition
können to be able to
der **Kontakt(e)** contact

die **Kontrolle(n)** control
das **Konzert(e)** concert
der **Kopf("e)** head
  die **Kopfschmerzen/**
  das **Kopfweh** headache
mit **Köpfchen** brainy
der **Körper(-)** body
korrekt correct(ly)
korrigieren to correct
die **Korruption** corruption
kosten to cost
krabbeln to crawl
der **Kraftstoff** fuel
das **Krafttraining** bodybuilding
das **Kraftwerk(e)** power station
der **Kran("e)** crane
krank ill
das **Krankenhaus("er)** hospital
der **Krankenpfleger(-)/die**
  Krankenschwester(n) nurse
der **Krankenwagen(-)** ambulance
die **Krankheit(en)** illness
krankschreiben to be off sick
die **Krawatte(n)** tie
kreativ creative
der **Kreis(e)** circle
kriechen to crawl
der **Kriecher(-)** crawler
der **Krieg(e)** war
kriegen to get
der **Krimi(s)** thriller
die **Kriminalität** crime
die **Kritik** criticism
der **Kritiker(-)** critic
das **Krokodil(e)** crocodile
die **Küche(n)** kitchen
der **Kuchen(-)** cake
kühl cool
der **Kühlschrank("e)** fridge
der **Kunde(n)** customer
die **Kunst("e)** art
der **Künstler(-)** artist
künstlich artificial
die **Kuriosität(en)** curio
der **Kurort(e)** health resort
der **Kurs(e)** exchange rate
kurz short
die **Kurzgeschichte(n)** short story
kuschen to get down
das **Küßchen(-)** peck
küssen to kiss

L

labberig limp, mushy
lachen to laugh
der **Laden("")** shop
die **Lage(n)** situation
das **Lager(-)** camp
das **Land("er)** country
landen to land
die **Landkarte(n)** map
die **Landschaft(en)** countryside
die **Landstraße(n)** country road
die **Landung(en)** landing

die **Landwirtschaft** agriculture
lang long
der **Langfinger(-)** pickpocket
der **Langlauf** cross-country skiing
langweilig boring
der **Lärm** noise
lassen to let, leave
der **Lastwagen(-)** lorry
laufen to run
die **Laune(n)** mood
launisch moody
laut according to, loud
der **Lautsprecher(-)** loud speaker
das **Leben(-)** life
leben to live
lebendig lively
die **Lebensmittel** groceries
der **Lebkuchen(-)** spicy biscuit
lecker tasty
das **Leder(-)** leather
leer empty
der **Lehrer(-)/die Lehrerin(nen)** teacher
die **Lehrmethode(n)** teaching method
die **Leiche(n)** corpse
leicht easy
leiden to suffer
es tut mir leid I'm sorry
leider unfortunately
leihen to lend
leise softly, quiet
leisten to do, achieve
leistungsorientiert achievement-orientated
der **Leiter(-)** leader
lernen to learn
lesen to read
letzte/r/s last
die **Leute** people
das **Licht(er)** light
die **Lichtanlage(n)** lights
das **Liebchen** darling
lieben to love
lieber prefer
Lieber/Liebe dear (on a letter)
der **Liebesbrief(e)** love letter
am **liebsten** best of all
liegen to lie
liegen an to be due to
lila purple
die **Linie(n)** line
links left
die **Liste(n)** list
locker relaxed, loose
der **Löffel(-)** spoon
das **Logikspiel(e)** logic game
logisch logical
sich **lohnen** to be worth
die **Loipe(n)** cross-country ski run
los off, away
es ist nichts los nothing's happening

lösen to solve
die **Lösung(en)** solution
loswerden to get rid of
das **Lotto** lottery
der **Löwe(n)** lion
die **Lücke(n)** gap
die **Luft** air
der **Luftkissenbootpilot(en)** hovercraft pilot
die **Luftpumpe(n)** tyre pump
der **Luftraum** airspace
die **Luftstreitkräfte** air force
lügen to lie
die **Lungenentzündung** lung inflammation

M

machen to do, make
es macht nichts it doesn't matter
machomäßig macho
das **Mädchen(-)** girl
das **Mädel(s)** girl
der **Magen(-)** stomach
die **Magenschmerzen** stomach ache
die **Mahlzeit(en)** mealtime
das **Mal(e)** time
malen to draw
man one
manche/r/s some
manchmal sometimes
der **Mann("er)** man
die **Mark(-)** mark
die **Marke(n)** make
der **Markenname(n)** brand name
der **Marktplatz("e)** market place
der **Maskenball("e)** masked ball
das **Maskulinum** masculine
massenhaft on a huge scale
materialistisch materialistic
Mathe maths
die **Mauer(n)** wall
meckern to moan
die **Medizin(en)** medicine
medizinisch medicinal
das **Meer(e)** sea
mehr more
mehrere several
mehrmals several times
mein my
meinen to think
die **Meinung(en)** opinion
die **Meinungsfreiheit** freedom of speech
meist most
meistens mostly
die **Meisterschaft(en)** championship
die **Menge(n)** lot of, crowd
der **Mensch(en)** person
merken to notice
das **Messer(-)** knife
messerscharf razor-sharp

der **Meter(-)** metre
die **Methode(n)** method
mich me
mies mean
mieten to rent
der **Mikrowellenherd(e)** microwave
die **Million(en)** million
mindestens at least
das **Mineralwasser(-)** mineral water
das **Minikleid(er)** mini dress
der **Minirock("e)** mini skirt
die **Minute(n)** minute
mir me, to me
Mist! blast!
mit with
der **Mitarbeiter(-)** colleague
mitbringen to bring
miteinander with each other
miterleben to live through
mitfahren to accompany
das **Mitglied(er)** member
mitnehmen to take
um **Mittag** at lunch time
das **Mittagessen(-)** lunch
die **Mitte(n)** middle
das **Mittel(-)** means, method
mittelgroß medium-height
mitten middle
um **Mitternacht** at midnight
die **Möbel** furniture
mobilisieren to mobilise
das **Modalverb(en)** modal verb
die **Modelleisenbahn(en)** model railway
das **Modellflugzeug(e)** model plane
die **Modenschau(en)** fashion show
modern modern
modisch fashionable
das **Mofa(s)** moped
möglich possible
möglicherweise possibly
die **Möglichkeit(en)** possibility
der **Moment(e)** moment
Moment mal wait a moment
der **Monat(e)** month
das **Monatsgehalt("er)** monthly salary
das **Mondlicht** moonlight
der **Mord(e)** murder
der **Mörder(-)** murderer
morgen tomorrow
der **Morgen(-)** morning
morgens in the mornings
das **Motorrad("er)** motorbike
der **Motorradunfall("e)** motorbike accident
müde tired
die **Mühe(n)** trouble
mit großer Mühe with great difficulty

der **Mülltonnendeckel(-)** dustbin
 lid
 mumifiziert mummified
der **Mund("er)** mouth
das **Museum (Museen)** museum
die **Musik** music
der **Muskel(n)** muscle
das **Müsli(s)** muesli
 müssen to have to
der **Mut** courage
die **Mutter(")** mother
die **Mutti(s)** mum
 mysteriös mysterious

N

 nach to, after
 nach oben upstairs
der **Nachbar(n)** neighbour
 nachdem after
 nachdenken to consider
 nacheinander after each
 other
 nachher afterwards
der **Nachmittag(e)** afternoon
 nachmittags in the afternoons
die **Nachricht(en)** message, news
 nachschlagen to look up
 nachsprechen to repeat
 nächste/r/s next
die **Nacht("e)** night
 nachts at night
der **Nachteil(e)** disadvantage
der **Nachtisch(e)** dessert
das **Nachtleben(-)** nightlife
der **Nachttisch(e)** bedside table
 Nähe: in der Nähe near to
 nähen to sew
 näher nearer
die **Nahrung** nutrition
das **Nähzeug(e)** sewing kit
 na ja well
der **Name(n)** name
 nämlich namely
die **Nase(n)** nose
die **Natur** nature
 natürlich of course
der **Naturpark(s)** nature park
die **Naturwissenschaft(en)**
 science
 der Naturwissenschaftler(-)
 scientist
der **Nebel** fog
 neben next to, besides
der **Nebenjob(s)** part-time job
 nee no
 negativ negative
 nehmen to take
 nein no
sich **nennen** to be called
der **Nerv(en)** nerve
 nerven to annoy
 nervig annoying
 nett nice
 netto net

 neu new
 neulich recently
das **Neutrum** neuter
 nicht not
 nichts nothing
 nicken to nod
 nie never
 niemals never
 niemand nobody
 noch still
 noch einmal once again
 noch etwas something else
 noch mal again
 noch nicht not yet
 Nordamerika North America
 nördlich north
 normal normal
 normalerweise normally
 Norwegen Norway
 norwegisch Norwegian
der **Notfall("e)** emergency
die **Notiz(en)** note
der **Notruf(e)** emergency call
der **Nudelsalat(e)** pasta salad
die **Nummer(n)** number
 nun now
 nur only
die **Nuß (Nüsse)** nut
 nutzlos useless

O

 ob whether
 oben above, over
die **Oberfläche(n)** surface
der **Oberkörper(-)** upper body
die **Oberschule(n)** high school
das **Objektpronomen(-)** object
 pronoun
das **Obst** fruit
 obwohl although
 oder or
 offen open
 öffnen to open
 oft often
 öfters often
 ohne without
die **Ohrenschmerzen** earache
der **Ohrring(e)** earring
der **Öko-Freak** ecological fan
 ölverschmiert oil stained
die **Oma(s)** gran
der **Onkel(-)** uncle
der **Opa(s)** grandad
die **Oper(n)** opera
 operieren to operate
 optimistisch optimistic
in **Ordnung** OK
das **Organ(e)** organ
 organisieren to organise
der **Ort(e)** place
im **Osten** in the East
 Österreich Austria
 österreichisch Austrian
die **Ostküste** East Coast

P

ein **paar** several
das **Paar(e)** pair, couple
das **Paket(e)** packet
die **Palme(n)** palm (tree)
die **Panik(en)** panic
der **Panzer(-)** tank
der **Papagei(en)** parrot
das **Papier(e)** paper
 die Papierschlange(n)
 paper chain
der **Park(s)** park
das **Parkhaus("er)** multi-storey car
 park
der **Parkplatz("e)** parking space
das **Partizip(ien)** participle
der **Partner(-)** partner
 die Partneranzeige(n) lonely hearts advert
die **Party(s)** party
 die Partyeinladung(en)
 party invitation
der **Paß (Pässe)** passport
 paß auf watch out
 passen to suit, fit
 passend matching
 passieren to happen
 passiv passive
der **Patient(en)** patient
 Pech haben to have bad luck
 peinlich embarrassing
 perfekt perfect(ly)
die **Person(en)** person
das **Personal** staff
 persönlich personally
die **Persönlichkeit(en)** personality
 pessimistisch pessimistic
die **Pfeil(e)** arrow
der **Pfennig(e)** pfennig
der **Pfiff** style, pizzazz, whistle
der **Pflegeberuf(e)** care job
 Physik physics
das **Picknick(s)** picnic
der **Pilot(en)/die Pilotin(nen)**
 pilot
der **Pilz(e)** mushroom
die **Pistole(n)** pistol
 planen to plan
der **Planet(en)** planet
das **Plastik** plastic
der **Platz("e)** place, square
 plötzlich suddenly
das **Plüschtier(e)** cuddly animal
der **Polarkreis** polar circle
 Polen Poland
die **Politik** politics
 politisch political
die **Polizei** police
 die Polizeiwache(n) police
 station
der **Polizist(en)** policeman
die **Polizistin(nen)** policewoman
das **Portemonnaie(s)** purse

die **positiv** positive
die **Post** post
die **Postkarte(n)** postcard
praktisch practical
prallen to crash
die **Präposition(en)** preposition
das **Präsens** present tense
die **Präsentation(en)** presentation
sich **präsentieren** to present yourself
der **Preis(e)** price, prize
der **Premierministerin(nen)** prime minister (f)
die **Presse** press
prima great
privat private
das **Privatleben(-)** private life
pro for
probieren to try
das **Problem(e)** problem
die **Produktion(en)** production
das **Programm(e)** programme
das **Pronomen(-)** pronoun
der **Prospekt(e)** brochure
das **Prozent(e)** percent
die **Prüfung(en)** exam
der **Psychologe(n)/die Psychologin(nen)** psychologist
der **Pullover(-)/Pulli(s)** jumper
der **Punkt(e)** point
pünktlich punctual(ly)
putzen to clean

Q

die **Qualität** quality
der **Quatsch** rubbish
quatschen to chat
die **Quelle(n)** source
das **Quiz(-)** quiz

R

das **Rad("er)** bicycle
die **Radtour(en)** bike tour
radfahren to cycle
radikal radical
das **Radio(s)** radio
der **Rand("er)** edge
rasen to race
sich **rasieren** to shave
der **Rat** advice
der **Ratschlag("e)** piece of advice
raten to advise
das **Ratespiel(e)** guessing game
das **Rätsel(-)** puzzle
die **Ratte(n)** rat
rauben to rob
der **Räuber(-)** robber
der **Rauch** smoke
rauchen to smoke
der **Raumfahrer(-)** astronaut
rausholen to fetch out of
rausschmeißen to throw out
der **Rausschmeißer(-)** bouncer

reagieren to react
realistisch realistic(ally)
rechnen to work out
Rechnungswesen accounting
recht haben to be right
rechts right
der **Rechtsextremismus** right-wing extremism
rechtzeitig in time
recyceln to recycle
recyclebar can be recycled
der **Redakteur(e)** editor
reden to talk
das **Reflexivverb(en)** reflexive verb
die **Regel(n)** rule
der **Regen(-)** rain
der **Regenmantel("** rain-coat
der **Regenschirm(e)** umbrella
regieren to rule, govern
die **Regierung(en)** government
der **Regisseur(e)** director
regnen to rain
reich rich
reichen to pass, be enough
reichlich plenty
die **Reihenfolge(n)** order
das **Reihenhaus("er)** terraced house
der **Reim(e)** rhyme
rein pure
reinschauen to look in
die **Reis(e)** rice
die **Reise(n)** trip
reisen to travel
die **Reisetasche(n)** travel bag
reiten to ride
rekonstruieren to reconstruct
relativ relative(ly)
der **Rentner(-)** pensioner
die **Republik(en)** republik
reservieren to book, reserve
der **Rest(e)** rest
das **Restaurant(s)** restaurant
retten to rescue
die **Rettung(en)** rescue
das **Rezept(e)** recipe, prescription
richtig right
die **Richtung(en)** direction
riechen to smell
riesig huge
das **Rind(er)** cow
der **Ring(e)** ring
riskieren to risk
die **Ritze(n)** crack, gap
die **Robbe(n)** seal
das **Robbenfell(e)** seal fur
die **Robbenjagd** seal hunting
röcheln to groan
der **Rock("e)** skirt
das **Rockkonzert(e)** rock concert
das **Roggenbrot(e)** rye bread

der **Rohfleischfresser(-)** raw meat eater
die **Rolle(n)** role
das **Rollenspiel(e)** role play
romantisch romantic
röntgen to x-ray
rot red
der **Rotwein(e)** red wine
der **Rubel(-)** rouble
der **Rücken(-)** back
die **Rückenschmerzen** backache
der **Rucksack("e)** rucksack
die **Rückseite(n)** reverse, back
rufen to call
ruhig quiet, easily
ruiniert ruined
die **Rundfahrt(en)** round trip
runterschlucken to swallow
die **Rüschenbluse(n)** frilly blouse
Rußland Russia
der **Russe(n)** Russian
russisch Russian
die **Rutschbahn(en)** slide, chute

S

die **S-Bahn(en)** city railway
die **Sache(n)** thing
sagen to say
sammeln to collect
der **Sammler(-)** collector
die **Sandale(n)** sandal
der **Sänger(-)** singer
der **Satz("e)** sentence
der **Satzteil(e)** part of sentence
sauber clean
sauer angry
das **Sauerkraut** pickled cabbage
die **Sauna(s)** sauna
Schach chess
schade pity
der **Schädel(-)** skull
schaffen to manage, create
der **Schaffner(-)** conductor
der **Schatz("e)** treasure
die **Schatzkarte(n)** treasure map
die **Schatzsuche(n)** treasure hunt
schätzen to estimate, value
der **Schauspieler(-)** actor
die **Schauspielerin(nen)** actress
der **Schein(e)** note
der **Scheinwerfer(-)** headlamp
schick chic
schicken to send
schiefgehen to go wrong
schießen to shoot
das **Schießtraining(-)** shooting training
das **Schiff(e)** ship
der **Schilling(e)** shilling
der **Schimmelpilz** mould
das **Schimpfwort("er)** swear word
schlafen to sleep
der **Schlafplatz("e)** sleeping place

der **Schlafsack("e)** sleeping bag
das **Schlafzimmer(-)** bedroom
die **Schlagzeile(n)** headline
schlank slim
schlapp shattered, listless
schlecht bad
schleppen to drag
das **Schließfach("er)** locker
schließlich finally
schlimm bad
der **Schlips(e)** tie
das **Schloß (Schlösser)** castle
der **Schlosser(-)** fitter
schluchz-schluchz! sob-sob!
schlucken to swallow
zum **Schluß** finally
der **Schlüssel(-)** key
die **Schmalspurbahn(en)**
narrow gauge railway
die **Schmerzen** pains
die **Schmerztablette(n)** painkiller
schmieren to smear
schminken to put on make-up
der **Schmuck** jewellery
schmücken to decorate
schmuggeln to smuggle
schmutzig dirty
das **Schnäppchen(-)** bargain, snip
der **Schnee** snow
die **Schneeflocke(n)**
snowflake
schneeweiß snow-white
schneien to snow
schnell quick(ly)
das **Schnitzel(-)** cutlet
die **Schokolade(n)** chocolate
schon already
schön lovely
Schottland Scotland
der **Schrank("e)** cupboard
die **Schraube(n)** screw
schrauben to screw
schrecklich dreadful
schreiben to write
schreien to shout, scream
schriftlich in writing
der **Schriftsteller(-)** author
schüchtern shy
der **Schuh(e)** shoe
der **Schulabschluß** school
leaving qualification
die **Schulaufgabe(n)** school work
das **Schulbuch("er)** textbook
die **Schule(n)** school
der **Schüler(-)/die Schülerin(nen)**
pupil
die **Schülerermäßigung(en)**
pupil discount
die **Schülerzeitung(en)**
school magazine
die **Schulferien** school
holidays
das **Schuljahr(e)** school year
die **Schulzeit** school time

schulfrei off school
die **Schüssel(n)** bowl
der **Schutz** protection
schützen to protect
schwarz black
Schweden Sweden
der **Schwede(n)** Swede
die **Schweiz** Switzerland
schwer heavy, difficult
schwerkrank seriously ill
die **Schwester(n)** sister
die **Schwierigkeit(en)** difficulty
das **Schwimmbad("er)**
swimming pool
das **Schwimmbecken(-)**
swimming pool
schwimmen to swim
schwindlig dizzy
schwofen to dance
in **Schwung kommen** to get
going
der **Seefahrer(-)** seafarer
seekrank seasick
sehen to see
die **Sehenswürdigkeit(en)** sight
sehr very
die **Seilbahn(en)** cable railway
sein to be, his
seit since
die **Seite(n)** page
der **Seitenstreifen(-)** hard shoulder
der **Sekretär(e)** secretary
der **Sektor(en)** sector
selber/selbst yourself
selbstbewußt self-confident
das **Selbstwertgefühl** self-esteem
selten rarely
seltsam strange
die **Sendung(en)** programme
sensationell sensational
sensibel sensitive
die **Serie(n)** series
sich **setzen** to sit down
sich himself, herself
sicher safe, surely
sicherlich certainly
sie she, them
Sie you
das **Silber** silver
singen to sing
die **Situation(en)** situation
der **Sitz(e)/Sitzplatz("e)** seat
der **Ski(er)** ski
die **Skiausrüstung** ski equipment
der **Skiverleih(e)** ski hire
Ski fahren to ski
so ... wie as ... as
die **Socke(n)** sock
sofort immediately
die **Software(s)** software
sogar even
sogenannt so-called
der **Sohn("e)** son
solange so long

solche/r/s such
der **Soldat(en)** soldier
sollen should
der **Sommer(-)** summer
sondern but
die **Sonne(n)** sun
der **Sonnenschein** sunshine
sonnig sunny
sonst otherwise
sorgen für to look after
sich **Sorgen machen** to worry
sorgfältig careful(ly)
sortieren to sort
soviel so much
sowas such a thing
sowieso anyway
die **Sowjetunion** Soviet Union
die **Sozialarbeit** social work
sozialistisch socialist
die **Spalte(n)** column
spannend exciting
die **Spannung(en)** tension
das **Sparbuch("er)** savings book
das **Sparschwein(e)** piggy bank
sparen to save
sparsam economic
Spaß machen to be fun
spät late
spazierengehen to go for a
walk
der **Spaziergang("e)** walk
spenden to donate, contribute
sperren to close, lock
speziell special
das **Spiel(e)** game
die **Spielhalle(n)** games hall
spielen to play
die **Spinne(n)** spider
das **Spinnennetz(e)** cobweb
spinnen to talk rubbish
die **Sportart(en)** sport
Sport treiben to do sport
der **Sportler(-)** athlete
der **Sportverein(e)** sports club
sportlich sporty
spottbillig dirt cheap
die **Sprache(n)** language
die **Sprechblase(n)** speech bubble
sprechen to speak
springen to jump
der **Staat(en)** state
das **Stadion (Stadien)** stadium
die **Stadt("e)** town
die **Stadtmitte(n)** town centre
der **Stall("e)** stable, shed
ständig constant(ly)
der **Standpunkt(e)** point of view
starten to start, take off
die **Statistik(en)** statistic
stattfinden to take place
der **Staub** dust
der **Stausee(n)** reservoir
stehen to stand
stehenlassen to stand up

stehlen to steal
es steht mir it suits me
steil steep
die Stelle(n) place, position
stellen to put
  Fragen stellen to ask questions
sterben to die
die Stereoanlage(n) hi-fi
steuern to steer
das Stichwort("er) head word
der Stiefel(-) boot
die Stille silence, calm
stimmen to agree
  das stimmt that's true
die Stimmung(en) atmosphere
stinkfaul very lazy
der Stoff(e) material
  die Stoffbahn(en) length of material
der Stollen(-) cake (at Christmas time)
stopfen to stuff, darn
stören to disturb
die Strafe(n) fine
das Strafporto excess postage
der Strand("e) beach
die Straße(n) road
die Straßenbahn(en) tram
der Straßenrand roadside
streben to aim for
der Streifenwagen(-) patrol car
streng strict
stricken to knit
strömen to stream
der Student(en) student
studieren to study
das Studio(s) studio
das Studium (Studien) study, course
der Stuhl("e) chair
die Stunde(n) hour, lesson
stundenlang for hours
stürmisch stormy
die Suche(n) search
suchen to look for
Südamerika South America
Südost southeast
super super
der Supermarkt("e) supermarket
surfen to surf
das Symbol(e) symbol
sympathisch nice, friendly
das Symptom(e) symptom
das System(e) system
die Szene(n) scene

T

das T-Shirt(s) T-shirt
die Tabelle(n) table, chart
die Tablette(n) tablet
der Tag(e) day
  das Tagebuch("er) diary
  der Tagesablauf("e) daily routine

tagelang all day long
die Tankstelle(n) petrol station
tanzen to dance
die Tanzmusik dance music
tarnen to camouflage
die Tasche(n) bag
das Taschengeld pocket money
die Tätigkeit(en) activity
tatsächlich in fact
tauchen to dive
der Taucher(-) diver
tauschen to swap
das Taxi(s) taxi
technisch technical(ly)
der Teddybär(en) teddybear
der Tee(s) tea
der Teenager teenager
der Teil(e) part
teilen to divide
der Teilnehmer(-) participant
teilweise partly
das Telefon(e) phone
telefonieren to phone
der Teller(-) plate
das Tennisspiel(e) tennis game
der Teppich(e) carpet
die Terrasse(n) terrace
teuer expensive
der Text(e) text
das Theater(-) theatre
das Thema (Themen) topic
tief deep
das Tier(e) animal
der Tierschutz animal protection
der Tiger(-) tiger
der Tippschein(e) lottery coupon
der Tisch(e) table
die Titelheldin(nen) heroine
der Toast(e) toast
die Tochter("") daughter
der Tod(e) death
tödlich deathly
toll great
der Ton("e) sound
das Tonband("er) tape
tonnenweise tonnes of
die Torte(n) gateau
tot dead
total totally
töten to kill
der Tourismusberuf(e) tourism job
der Tourist(en) tourist
touristisch touristy
tragen to wear, carry
der Trainer(-) trainer, coach
trainieren to train
trampen to hitch-hike
die Träne(n) tear
das Transportmittel way of transport
der Traum("e) dream
traurig sad
sich treffen to meet

den Treffpunkt ausmachen to arrange to meet
trennbar separable
das Tretboot(e) pedalo
  der Tretbootverleih(e) pedalo hire
treten to step, kick
trinken to drink
das Trinkgeld(er) tip
trocken dry
der Trödelmarkt("e) flea market
trotzdem despite
die Trümmer rubble
die Truppe(n) troupe
tschüß bye
der Tumor(en) tumour
tun to do
der Tunnel(-) tunnel
  tunnelförmig tunnel-shaped
die Tür(en) door
die Türkei Turkey
der Turm("e) tower
der Typ(en) bloke, type
typisch typical(ly)

U

die U-Bahn(en) underground
das Übel evil
üben to practise
über over, about
überall everywhere
übereinstimmen to agree
überfahren to run over
die Überfahrt(en) crossing
überfüllt crowded
überhaupt at all
überholen to overtake
sich überlegen to consider
übermorgen day after tomorrow
übernachten to stay overnight
überraschen to surprise
übersetzen to translate
überwiegend predominant(ly)
übrig over, remaining
übrigbleiben to remain
die Übung(en) activity
die Uhr(en) clock
um at, round
um ... zu in order to
umarmen to hug
die Umfrage(n) survey
der Umgang contact
umgehen können to know how to handle
umgekehrt vice versa
der Umkleideraum("e) changing room
umliegend surrounding
umrechnen to convert
die Umstände circumstances
umsteigen to change
die Umwelt environment

umweltbewußt environmentally aware
umweltfreundlich environmentally friendly
die **Umweltverschmutzung** environmental pollution
umziehen to move
unbedingt certainly, really
unbekannt unknown
unbeschädigt undamaged
unbezahlbar priceless
und and
und so weiter and so on
der **Unfall(¨e)** accident
unfreundlich unfriendly
ungerecht unfair
ungewöhnlich unusual
unglaublich unbelievable
unheimlich incredible, incredibly
die **Uniform(en)** uniform
die **Universität(en)** university
unmöglich impossible
unregelmäßig irregularly
uns (to) us
unser our
unsicher unsure
der **Unsinn** rubbish
unten under, below
unter under, among
unterfrankiert under-franked
die **Unterhose(n)** underpants
der **Unterschied(e)** difference
unterschiedlich various
die **Unterschrift(en)** caption
die **Untersuchung(en)** exam-ination
die **Unterwäsche** underwear
unterwegs on the way
untreu unfaithful
unvergeßlich unforgettable
auf **Urlaub** on holiday
usw. etc.

V

der **Vater(¨)** father
der **Vati(s)** dad
der **Vegetarier(-)** vegetarian
die **Verabredung(en)** meeting
verändern to change
verängstigt worried, anxious
das **Verb(en)** verb
der **Verband(¨e)** bandage
verbieten to forbid
verbrannt burned
verbrauchen to use
das **Verbrechen(-)** crime
verbringen to spend (time)
verdächtig suspicious
verdienen to earn
der **Verein(e)** club
vereinigen to unite
verfallen ruined
die **Vergangenheit** past

vergessen to forget
vergleichen to compare
das **Vergnügen(-)** pleasure
vergraben to bury
verhaften to arrest
das **Verhältnis(se)** relationship
verhüllen to veil
verkaufen to sell
der **Verkäufer(-)** salesman
die **Verkäuferin(nen)** saleswoman
das **Verkehrsamt(¨er)** tourist office
die **Verkehrssicherheit** traffic safety
verkleidet dressed up
verkrampft tense
verlangen to demand
verlassen to leave
verletzt injured
die **Verleztung(en)** injury
verlieren to lose
vermissen to miss
vermutlich presumably
vernünftig responsible
verpassen to miss
verraten to tell
verrückt mad
versäumen to miss
verschieden different
verschlafen to oversleep
verschlagen to mishit
verschmutzen to dirty
verschreiben to prescribe
verschütten to spill
verschwenderisch wasteful
verschwinden to disappear
die **Version(en)** version
sich **verspäten** to be late
die **Verspätung(en)** delay
der **Verstärker(-)** amplifier
verstauchen to sprain
verstehen to understand
sich **verstehen** to get along with
verstopft blocked up
der **Versuch(e)** attempt
versuchen to try
verteilen to distribute
verursachen to cause
vervollständigen to complete
verwaschen faded
verzichten to go without
das **Video(s)** video
viel much
vielleicht perhaps
die **Vierergruppe(n)** group of four
zu **viert** in fours
die **Viertelstunde** quarter hour
das **Virus (Viren)** virus
der **Vogel(¨)** bird
das **Volk(¨er)** people
voll full
völlig completely
vollständig complete
von from, of
von da aus from there

vor ago, in front of
vor allem above all
vorbei past
vorbeischleichen to creep past
sich **vorbereiten** to prepare
vorgestern day before yesterday
vorher before
vorlesen to read aloud
vorletztes Jahr year before last
der **Vorschlag(¨e)** suggestion
vorschlagen to suggest
die **Vorsicht** care
sich **vorstellen** to imagine, introduce yourself
das **Vorteil(e)** advantage
vortragen to present
der **Vorurteil(e)** prejudice
vorwiegend mainly

W

der **Wagen(-)** car
die **Wahl(en)** choice, vote
wählen to choose
der **Wahnsinn** madness
wahnsinnig mad
wahr true
während during, while
die **Wahrheit** truth
die **Wahrsagerin(nen)** fortune teller (f)
wahrscheinlich probably
der **Wald(¨er)** forest
die **Wand(¨e)** wall
wandern to walk, hike
die **Wanderung(en)** walk, hike
wann when
die **Ware(n)** product
das **Warenhaus(¨er)** department store
warm warm
warten to wait
der **Wartesaal (-säle)** waiting room
die **Wartung(en)** servicing
warum why
was what
waschen to wash
die **Waschmaschine(n)** washing machine
das **Wasser(-)** water
das **Wasserskifahren(-)** waterskiing
die **Wechselgebühr(en)** commission charge
wechseln to change
wecken to wake up
weg away
der **Weg(e)** way, path
wegbleiben to stay away
wegen due to
wegfahren to go away
weglaufen to run away

wegmachen to get rid of
wegwerfen to throw away
weh tun to hurt
die **Wehen (setzen ein)** (to go into) labour
weiblich feminine
Weihnachten(-) Christmas
weil because
die **Weile** while
die **Weise(n)** way
weiß white
weit far
weiter further
weitermachen to continue
welche/r/s which
der **Wellblechschuppen(-)** corrugated iron shed
der **Wellensittich(e)** budgie
die **Welt(en)** world
der **Weltkrieg(e)** world war
die **Weltreise(n)** world trip
wenig little
wenige few
wenigstens at least
wenn when, if
wer who
die **Werbung(en)** advertising
werden to become
im **Wert von** to the value of
die **Wertsache(n)** valuable thing
das **Wesen(-)** nature
im **Westen** in the West
der **Wettbewerb** competition
das **Wetter(-)** weather
der **Wetterbericht(e)** weather forecast
wichtig important
wie how
wie bitte? pardon?
wieder again
die **Wiese(n)** lawn
wieviel how much
wild wild
das **Wildtierfutter** wild animal food
willkommen welcome
der **Wind(e)** wind
windsurfen to windsurf
der **Winter** winter
wir we
wirken to look, work
wirklich really
der **Wirt(e)** publican
wissen to know
die **Witwe(n)** widow
der **Witz(e)** joke
witzig funny
wo where
die **Woche(n)** week
das **Wochenende(n)** weekend
wofür why
wohl presumably
sich **wohl fühlen** to feel well
der **Wohlstand** affluence
der **Wohnblock(s)** block of flats

wohnen to live
die **Wohnung(en)** flat
der **Wohnwagen(-)** caravan
das **Wohnzimmer(-)** sitting room
die **Wolle** wool
wollen to want to
das **Wort(¨er)** word
das **Wörterbuch(¨er)** dictionary
die **Wortstellung** word order
kein **Wunder** no wonder
wunderbar wonderful
wunderschön brilliant
der **Wunsch(¨e)** wish
wünschen to wish
die **Wurst(¨e)** sausage
die **Wurzel(n)** root

Z

z.B. (zum Beispiel) e.g. (for example)
die **Zahl(en)** figure, number
zählen to count
der **Zahnarzt(¨e)** dentist
der **Zahn(¨e)** tooth
zaubern to do magic
zeichnen to draw
zeigen to show
die **Zeit(en)** time
eine **Zeitlang** for a while
die **Zeitschrift(en)** magazine
die **Zeitung(en)** newspaper
die **Zeitverschwendung** waste of time
das **Zelt(e)** tent
zelten to camp
der **Zentimeter(-)** centimetre
das **Zentrum (Zentren)** centre
zerbrechen to break
zerquetschen to crush
zerstören to destroy
der **Zettel(-)** note
das **Zettelchen(-)** small note
ziehen to move, pull
das **Ziel(e)** aim
zielbewußt purposeful
ziemlich quite
die **Zigarette(n)** cigarette
das **Zimmer(-)** room
der **Zins(en)** interest
der **Zoff** trouble
der **Zoffkasten** problem page
die **Zone(n)** zone
der **Zoo(s)** zoo
zu to, too
der **Zucker** sugar
zuerst first of all
zufällig coincidentally
zufrieden satisfied
der **Zug(¨e)** train
die **Zugabe(n)** bonus
zugeben to admit
zugleich at the same time
zuhören to listen

die **Zukunft** future
zulegen to put on, add
zumindest at least
der **Zungenbrecher(-)** tongue-twister
zurück back
zurückhaltend reticent
zurückkehren to return
zurückziehen to withdraw
die **Zusage(n)** promise
zusammen together
zusammenbrechen to collapse
die **Zusammenfassung(en)** summary
zusammenknallen to crash
zusammenknüpfen to knot
zusammenpassen to match
zusammenstellen to join
zusammenstoßen to crash
der **Zuschlag(¨e)** supplement
zuschlagen to close
der **Zustand** condition
zustimmen to agree
die **Zutaten** ingredients
zwar in fact
der **Zweifel(-)** doubt
zweimal twice
zweite/r/s second
die **Zwiebel(n)** onion
zwischen between

A

a ein
above all vor allem
above, over oben
about gegen
abroad im Ausland
absolute(ly) absolut
to **accept** akzeptieren
acceptable akzeptabel
accident der Unfall(¨e)
to **accompany** mitfahren
according to nach Angaben, laut
action die Aktion(en)
activity die Tätigkeit(en), die Übung(en)
actor der Schauspieler(-)
actress die Schauspielerin(nen)
to **add** hinzufügen
adjective das Adjektiv(e)
to **admit** zugeben
advantage der Vorteil(e)
adventure das Abenteuer(-)
adverb das Adverb(ien)
advert die Anzeige(n)
advertising die Werbung(en)
advice der Rat
to **advise** raten
affair die Affäre(n)
affluence der Wohlstand
Africa Afrika
after nach, nachdem
afternoon der Nachmittag(e)
afterwards danach, nachher
again noch mal, wieder
against gegen
age das Alter(-)
ago vor
to **agree** stimmen, übereinstimmen
agreed einverstanden
agriculture die Landwirtschaft
aim das Ziel(e)
to **aim for** streben
air die Luft
air force die Luftstreitkräfte
airport der Flughafen(¨)
alcohol der Alkohol
to **alert** alarmieren
all alle
    at all überhaupt
    all day long den ganzen Tag
    all kinds of allerlei
    all the best alles Gute
    all together insgesamt
allergic allergisch
almost fast
alone allein(e)
alps die Alpen
already schon
although obwohl
always immer
amazed erstaunt
amazing erstaunlich
ambulance der Krankenwagen(-)

America Amerika
amplifier der Verstärker(-)
to **amuse oneself** sich amüsieren
amusing amüsant
and und
angry böse, sauer
animal das Tier(e)
to **annoy** nerven
annoying nervig
anorak der Anorak(s)
answer die Antwort(en)
to **answer** beantworten
answerphone der Anrufbeantworter(-)
antibiotics die Antibiotika
anytime jederzeit
anyway sowieso
apart from außer
to **appear** erscheinen, auftreten
to **apply for** sich bewerben um
archery das Bogenschießen(-)
architect der Architekt(en)
arctic arktisch
area die Gegend(en)
arm der Arm(e)
army die Armee(n)
to **arrange** arrangieren, einordnen
to **arrest** festnehmen, verhaften
arrival die Ankunft(¨e)
to **arrive** ankommen
arrow der Pfeil(e)
art die Kunst(¨e)
article der Artikel(-)
artificial künstlich
artist der Künstler(-)
as ... as so ... wie
as als
to **ask** fragen, befragen, bitten
to **ask questions** Fragen stellen
astronaut der Astronaut(en), der Raumfahrer(-)
at an, um
atmosphere die Atmosphäre(n), die Stimmung(en)
attempt der Versuch(e)
attitude die Einstellung(en)
author der Schriftsteller(-)
autograph das Autogramm(e)
automatic(ally) automatisch
autumn der Herbst
average durchschnittlich
away entfernt

B

to **babysit** babysitten
back der Rücken(-), zurück
backache die Rückenschmerzen
bad schlecht, schlimm
bag der Beutel(-), die Tasche(n)
baker der Bäcker(-)
balance die Bilanz
balanced ausgeglichen
banana die Banane(n)
band die Band(s)

bandage der Verband(¨e)
bank die Bank(en)
bank account das Bankkonto(-ten)
bank holiday der Feiertag(e)
to **bark** bellen
bathroom das Badezimmer(-)
bath tub die Badewanne(n)
to **be** sein
    to be able können
    to be afraid Angst haben
    to be allowed dürfen
    to be fun Spaß machen
    to be interested sich interessieren
beach der Strand(¨e)
beard der Bart(¨e)
because weil
to **become** werden
bed das Bett(en)
bedroom das Schlafzimmer(-)
beer das Bier(e)
before bevor, vorher
to **begin** anfangen, beginnen
to **behave** sich benehmen
behind hinter
to **believe** glauben, fassen
best beste, allerbeste
    best of all am liebsten
better besser
between zwischen
bicycle das Fahrrad(¨er), das Rad(¨er)
big groß
bird der Vogel(¨)
birth die Geburt(en)
birthday party die Geburtstagsfeier(n)
a **bit** ein bißchen
black schwarz
blast! Mist!
blocked up verstopft
bloke der Typ(en)
to **blossom** blühen
blouse die Bluse(n)
board das Brett(er)
boat das Boot(e)
body der Körper(-)
bonus die Zugabe(n)
book das Buch(¨er)
to **book** reservieren, buchen
boot der Stiefel(-)
border die Grenze(n)
bored gelangweilt
boring langweilig
born geboren
boss der Chef(s)
both beide
bottle die Flasche(n)
bow der Bogen(-)
bowl die Schüssel(n)
to **bowl** kegeln
box der Kasten(¨)
boy der Junge(n)

boyfriend der Freund(e)
brain das Gehirn(e)
   brainy mit Köpfchen
branch die Branche(n)
bread das Brot(e)
to **break** kaputtgehen,
   kaputtmachen, zerbrechen
breakfast das Frühstück(e)
breath der Atem
to **breathe in** einatmen
bridge die Brücke(n)
brilliant wunderschön
to **bring** bringen, mitbringen
to **bring up** erziehen
brochure der Prospekt(e), die
   Broschüre(n)
brother der Bruder(¨)
brothers and sisters die
   Geschwister
budgie der Wellensittich(e)
to **build** bauen
builder der Bauarbeiter(-)
building das Gebäude(-), der
   Bau
burned verbrannt
burning brennend
to **bury** vergraben
bus der Bus(se)
business woman die
   Kauffrau(en)
but aber, sondern, jedoch, doch
button der Knopf(¨e)
to **buy** kaufen
bye tschüs

C

cake der Kuchen(-)
to **calculate** ausrechnen
to **call** rufen
camera der Fotoapparat(e), die
   Kamera(s)
camp das Lager(-)
to **camp** zelten
campaign die Kampagne(n)
can die Dose(n)
candidate der Kandidat(en)
candle die Kerze(n)
canoe das Kanu(s)
canoeing das Kanufahren
capital city die Hauptstadt(¨e)
caption die Unterschrift(en)
car das Auto(s), der Wagen(-)
caravan der Wohnwagen(-)
care die Vorsicht
career die Karriere(n)
careful(ly) sorgfältig
carpet der Teppich(e)
to **carry** tragen
cartoonist der Comiczeichner(-)
case der Fall(¨e)
in **case** falls
cash das Bargeld
castle das Schloß (Schlösser)
cat die Katze(n)

catastrophe die Katastrophe(n)
catastrophic katastrophal
to **catch** fangen, fassen
to **cause** verursachen
CD die CD(s)
to **celebrate** feiern
cellar der Keller(-)
centimetre der Zentimeter(-)
centre das Zentrum (Zentren)
century das Jahrhundert(e)
certain(ly) bestimmt, sicherlich,
   unbedingt
chair der Stuhl(¨e)
challenge die
   Herausforderung(en)
championship die
   Meisterschaft(en)
to **change** umsteigen, verändern,
   wechseln
changing room der
   Umkleideraum(¨e)
chaos das Chaos
chart das Diagramm(e)
to **chat** quatschen
cheap billig
checked kariert
cheese der Käse(-)
chemists die Apotheke(n)
chess Schach
child das Kind(er)
chocolate die Schokolade(n)
choice die Wahl(en)
to **choose** wählen, auswählen
Christmas Weihnachten
church die Kirche(n)
cigarette die Zigarette(n)
cinema das Kino(s)
circle der Kreis(e)
circumstances die Umstände
city railway die S-Bahn(en)
to **claim** behaupten
to **clap** applaudieren
class die Klasse(n)
clean sauber
to **clean** putzen
to **clear out** ausräumen
clearly deutlich
cliché das Klischee(s)
climate das Klima(s)
clinic die Klinik(en)
clock die Uhr(en)
to **close** zuschlagen, sperren
clothes die Klamotten, die Kleider
club der Verein(e)
clue die Ahnung(en)
cobweb das Spinnennetz(e)
coffee der Kaffee(s)
coincidentally zufällig
cold die Erkältung(en), kalt
coldness die Kälte
colleague der Kollege(n), der
   Mitarbeiter(-)
to **collect** sammeln, abholen,
   einsammeln

colour die Farbe(n)
colourful bunt
column die Spalte(n)
to **come** kommen
comfortable bequem
comic strip der Comic(s)
comment die Bemerkung(en)
to **comment** kommentieren
community die
   Gemeinschaft(en)
company die Firma (Firmen), die
   Gesellschaft(en)
comparative der Komparativ(e)
to **compare** vergleichen
competition der Wettbewerb
to **complain** sich beklagen, sich
   beschweren
complete vollständig
to **complete** vervollständigen,
   ergänzen
completely völlig
computer der Computer(-)
computer studies Informatik
conceited eingebildet
concert das Konzert(e)
condition der Zustand
conductor der Schaffner(-)
conference die Konferenz(en)
to **consider** nachdenken, sich überlegen
considerable beträchtlich
constant(ly) ständig
contact der Kontakt(e), der
   Umgang
to **contain** enthalten
to **continue** weitermachen
contribution der Betrag(¨e)
control die Kontrolle(n)
cool kühl
corner die Ecke(n)
corpse die Leiche(n)
to **correct** korrigieren
correct(ly) korrekt
to **cost** kosten
cosy gemütlich
to **count** zählen
country das Land(¨er)
countryside die Landschaft(en)
courage der Mut
of **course** natürlich
cousin der Cousin(s), die
   Cousine(n)
to **cover** abdecken, bedecken
crane der Kran(¨e)
to **crash** prallen, zusammenknallen
to **crawl** krabbeln, kriechen
crease die Falte(n)
creative kreative
to **creep past** vorbeischleichen
crime das Verbrechen(-), die
   Kriminalität
crisps die Kartoffelchips
critic der Kritiker(-)
criticism die Kritik

crocodile das Krokodil(e)
crossing die Überfahrt(en)
cruel grausam
to cry rufen, weinen
cupboard der Schrank(¨e)
curse der Fluch(¨e)
customer der Kunde(n)
cutlet das Schnitzel(-)
to cycle radfahren

D

dad der Vati(s)
to damage beschädigen
damp feucht
to dance tanzen, schwofen
dangerous gefährlich
dark dunkel
darling das Liebchen
date das Datum (Daten)
daughter die Tochter(¨)
day der Tag(e)
dead tot
dear (on a letter) Lieber/Liebe,
    Sehr geehrte/r
death der Tod(e)
decade das Jahrzehnt(e)
to decide entscheiden
decision der Entschluß(-schlüsse)
decision die Entscheidung(en)
to decorate dekorieren, schmücken
deep tief
definition die Definition(en)
delay die Verspätung(en)
to deliver austragen, abliefern
demand der Anspruch(¨e)
to demand verlangen, fordern
dentist der Zahnarzt(¨e)
department store das
    Kaufhaus(¨er), das
    Warenhaus(¨er)
departure die Abfahrt(en)
depressed deprimiert
depressing deprimierend
to describe beschreiben
description die Beschreibung(en)
despite trotzdem
dessert der Nachtisch(e)
to destroy zerstören
dialogue der Dialog(e)
diary das Tagebuch(¨er)
dictionary das Wörterbuch(¨er)
to die sterben
diet die Diät(en)
difference der Unterschied(e)
different verschieden, anders
difficulty die Schwierigkeit(en),
    die Mühe(n)
direct object das Direktobjekt(e)
direct(ly) direkt
direction die Richtung(en)
director der Regisseur(e)
dirty schmutzig
disabled behindert
disadvantage der Nachteil(e)

to disappear verschwinden
disco die Disco(s)
to discover erfahren
to discuss diskutieren
discussion die Diskussion(en)
disgusting ekelhaft
dish das Gericht(e)
distance die Ferne, die Entfernung
to distribute verteilen
to disturb stören
to dive tauchen
diver der Taucher(-)
to divide teilen, aufteilen
dizzy schwindlig
to do machen, tun
doctor der Arzt(¨e)/die Ärztin(nen)
dog der Hund(e)
door die Tür(en)
dose die Dosis (Dosen)
dotted gepunktet
doubt der Zweifel(-)
to draw malen, zeichnen
dreadful schrecklich, furchtbar
dream der Traum(¨e)
dress das Kleid(er)
dressed up verkleidet, bekleidet
drink das Getränk(e)
to drink trinken
driver der Fahrer(-)
to drop off absetzen
drug-taking der Drogenkonsum
dry trocken
duck die Ente(n)
due to wegen
during während
dust der Staub(e)
dyed gefärbt
dynamic dynamisch

E

each jede/r/s
earache die Ohrenschmerzen
early früh
to earn verdienen
earring der Ohrring(e)
earth die Erde(n)
easy leicht
to eat essen, fressen
economic sparsam
edge der Rand(¨er)
editor der Redakteur(e)
education die Ausbildung(en)
effect die Auswirkung(en)
e.g. z.B.
egg das Ei(er)
egoistic egoistisch
either or entweder oder
elbow der Ellbogen(-)
electrician der Elektriker(-)
electronic elektronisch
elegant elegant
elephant der Elefant(en)
embarrassing peinlich
emergency der Notfall(¨e)

employee der Angestellte(n)
empty leer
to encourage anspornen
end das Ende(n)
to end beenden
energy die Energie
engineer der Ingenieur(e)
England England
to enjoy geniessen
enormous enorm
enough genug
enthusiastic begeistert
environment die Umwelt
episode die Episode(n)
equipment die Ausrüstung
to escape entgehen
essay der Aufsatz(¨e)
etc. usw.
Europe Europa
even sogar
evening der Abend(e)
everyday alltäglich
everywhere überall
evil das Übel
exact(ly) genau
exam die Prüfung(en)
for example zum Beispiel
exchange der Austausch
exchange rate der Kurs(e)
excited gespannt
exciting spannend
excursion der Ausflug(¨e)
excuse die Ausrede(n)
exercise die Aufgabe(n)
exercise book das Heft(e)
exhausted erschöpft
exhausting anstrengend
exhibition die Ausstellung(en)
to expect erwarten
expensive teuer
experience die Erfahrung(en),
    das Erlebnis(se)
to experience erleben
expert der Experte(n)
to explain erklären, aufklären
explanation die Erklärung(en),
    die Aufklärung(en)
to explode explodieren
explosion die Explosion(en)
expression der Ausdruck(¨e)
extraordinary außergewöhnlich
extraterrestrial außerirdisch
extreme(ly) äußerst
extreme(ly) extrem
extremist der Extremist(en)
eye das Auge(n)

F

face das Gesicht(er)
in fact zwar, tatsächlich
factory die Fabrik(en)
faded verwaschen
to fall fallen
family die Familie(n)

famous berühmt
fan der Fan(s)
fantastic fantastisch, astrein
far weit
farm der Bauernhof(¨e)
farmer der Bauer(n)
fashionable modisch
fat dick
father der Vater(¨)
to **fear** befürchten
fee die Gebühr(en)
to **feed** füttern
to **feel** sich fühlen
feeling das Gefühl(e)
feminine weiblich, das Femininum
ferry die Fähre(n)
to **fetch** holen
fever das Fieber(-)
few wenige
figure die Figur(en), die Zahl(en)
to **fill in** eintragen, ausfüllen
film der Film(e)
final das Endspiel(e)
finalist der Finalist(en)
finally schließlich, endlich, zum Schluß
to **find** finden
to **find out** herausfinden, erfahren
fine die Strafe(n)
to **finish** fertig werden
fire das Feuer(-)
fire brigade die Feuerwehr
firm(ly) fest
first erst(e), erst mal
first of all zuerst
fish der Fisch(e)
to **fish** angeln
fitness die Fitneß
flat die Wohnung(en)
to **flee** fliehen
flight der Flug(¨e)
to **flirt** flirten
floor der Boden(¨)
flower die Blume(n)
flu die Grippe(n)
to **fly** fliegen
fog der Nebel
foil die Alufolie(n)
to **follow** befolgen
following folgend
food das Essen, die Ernährung
foot der Fuß(¨e)
football der Fußball
for für, pro
to **forbid** verbieten
foreign ausländisch
foreign language die Fremdsprache(n)
foreigner der Ausländer(-)
forest der Wald(¨er)
to **forget** vergessen
fork die Gabel(n)
former ehemalig
to **found** gründen, begründen

fountain der Brunnen
France Frankreich
frank der Franc
free time die Freizeit
to **free** befreien
freedom die Freiheit
French französisch
frequently häufig
to **freshen up** sich frisch machen
fridge der Kühlschrank(¨e)
friend der Kamerad(en)
friendly freundlich
from ab, von
fruit das Obst
frustrated frustriert
to **fry** braten
fuel der Kraftstoff
full voll
funfair der Jahrmarkt(¨e)
funny witzig, komisch
furniture die Möbel
further weiter
future die Zukunft

G

game das Spiel(e)
gap die Lücke(n)
garden der Garten(¨)
gateau die Torte(n)
gel das Gel(e)
generally generell, im allgemeinen
German Deutsch
Germany Deutschland
to **get** bekommen, erhalten, geraten, kriegen
to get dressed sich anziehen
to get to know kennenlernen
to get on with auskommen
to get out aussteigen
to get up aufstehen
girl das Mädchen(-), das Mädel(s)
girlfriend die Freundin(nen)
glass das Glas(¨er)
glasses die Brille(n)
to **go** fahren, gehen
to go away wegfahren
to go without verzichten
to go wrong schiefgehen
gold das Gold
good gut, brav
government die Regierung(en)
gradually allmählich
grammar die Grammatik
gran die Oma(s)
grandad der Opa(s)
grass das Gras(¨er)
grateful dankbar
grave das Grab(¨er)
great toll, prima
Great Britain Großbritannien
greedy geldgierig
groceries die Lebensmittel
group die Gruppe(n)

to **grow up** aufwachsen
grown up erwachsen
guaranteed garantiert
to **guess** erraten
guest der Gast(¨e)
guitar die Gitarre(n)

H

habit die Gewohnheit(en)
hair das Haar(e)
hairdressers der Friseursalon(s)
half die Hälfte(n), halb
hall die Aula (Aulen), der Flur(e)
hand die Hand(¨e)
handle der Griff(e)
to **hang** hängen
to **happen** passieren, geschehen
harbour der Hafen(¨)
hard hart
hard-working fleißig
hardly kaum
hare der Hase(n)
harmless harmlos
hat der Hut(¨e)
to **have** haben
to **have to** müssen
he er
head der Kopf(¨e)
headache das Kopfweh, die Kopfschmerzen
headlamp der Scheinwerfer(-)
headline die Schlagzeile(n)
health die Gesundheit
healthy gesund
heavy schwer
height die Höhe
helicopter der Hubschrauber(-)
hello hallo
helmet der Helm(e)
help die Hilfe(n)
to **help** helfen
helpful hilfsbereit
her ihr, sie
here hier
hi-fi die Stereoanlage(n)
high hoch
hill der Hügel(-)
hilly hügelig
him ihm, ihn
himself sich
history die Geschichte(n)
hobby das Hobby(s), die Freizeitbeschäftigung(en)
holidays die Ferien
at **home** zu Hause
homework die Hausaufgaben
honest(ly) ehrlich
honey der Honig
honour die Ehrung(en)
hope die Hoffnung(en)
to **hope** hoffen
hopefully hoffentlich
hospital das Krankenhaus(¨er)
host der Gastgeber(-)

hot heiß
hotel das Hotel(s)
hour die Stunde(n)
house das Haus(¨er)
how wie
to hug umarmen
huge riesig
humour der Humor(e)
hungry hungrig
   to be hungry Hunger haben
to hurry sich beeilen
to hurt weh tun
hygiene die Hygiene

I

I ich
ice (cream) das Eis
idea die Idee(n)
ideal ideal
idiot der Idiot(en)
ill krank
illness die Krankheit(en)
imagination die Fantasie
to imagine sich vorstellen
immediately sofort
important wichtig
impossible unmöglich
impression der Eindruck(¨e)
in in
incredible unheimlich
infection die Infektion(en)
infinitive der Infinitiv(e)
to inform informieren, Bescheid
   sagen
information die Auskunft(¨e), die
   Informationen
ingredients die Zutaten
inhabitant der Einwohner(-)
injured verletzt
injury die Verletzung(en)
inside drinnen
interest das Interesse(n), der
   Zins(en)
interesting interessant
interestingly interessanterweise
interview das Interview(s)
to interview interviewen
to introduce sich vorstellen
to invent erfinden
to invite einladen
Ireland Irland
to iron bügeln
irregularly unregelmäßig
island die Insel(n)
it es, sie, er

J

jacket die Jacke(n)
jeans die Jeans(-)
jewellery der Schmuck
job der Beruf(e), der Job(s), die
   Arbeit(en)
to join zusammenstellen
joke der Witz(e)

journalist der Journalist(en)
journey die Fahrt(en)
to jump springen
jumper der Pullover(-)/Pulli(s)
just knapp, gerade, einfach
   just since erst seit

K

kennel die Hundehütte(n)
key der Schlüssel(-)
keyboard das Keyboard
to kill töten
kilogramme das Kilogramm(e)
kilometre der Kilometer(-)
kindly herzlich
king der König(e)
kiosk der Kiosk(e)
to kiss and cuddle knutschen
to kiss küssen
kitchen die Küche(n)
knee das Knie(-)
knife das Messer(-)
to knit stricken
to knot zusammenknüpfen
to know wissen, kennen

L

to land landen
language die Sprache(n)
last letzte/r/s
to last dauern
late spät
to laugh lachen
lawn die Wiese(n)
lawyer der Jurist(en)
lazy faul
leader der Leiter(-)
to learn lernen
at least mindestens, wenigstens,
   zumindest
leather das Leder(-)
to leave verlassen, abfahren
left links
leg das Bein(e)
to legalise freigeben
to lend leihen, ausleihen
to let lassen
letter der Brief(e), der
   Buchstabe(n)
to lie liegen, lügen
life das Leben(-)
light das Licht(er), hell
to like gern haben, mögen
line die Linie(n)
lion der Löwe(n)
list die Liste(n)
to listen hören, zuhören
little wenig
to live leben, wohnen
lively lebendig
locker das Schließfach(¨er)
logical logisch
loneliness die Einsamkeit
lonely einsam

long lang
loo das Klo(s)
to look aussehen, gucken, wirken
   to look after sorgen für
   to look at sich anschauen
   to look for suchen
   to look forward sich freuen
   to look up nachschlagen
lorry der Lastwagen(-)
to lose verlieren
lottery das Lotto
to love lieben
lovely schön
luckily glücklicherweise, zum
   Glück
luggage das Gepäck
lunch das Mittagessen(-)

M

macho machomäßig
mad verrückt, wahnsinnig
magazine die Zeitschrift(en)
mainly vorwiegend
make die Marke(n)
to make machen, bilden, basteln
man der Mann(¨er)
to manage schaffen
map die Landkarte(n)
mark die Mark(-)
market place der Marktplatz(¨e)
to marry heiraten
masculine das Maskulinum
to match zusammenpassen
matching passend
material der Stoff(e)
materialistic materialistisch
maths Mathe
me mich, mir
mealtime die Mahlzeit(en)
mean mies, gemein
means das Mittel(-)
meat das Fleisch
medicinal medizinisch
medicine die Medizin(en)
to meet begegnen, sich treffen
meeting die Verabredung(en)
member das Mitglied(er)
memory das Gedächtnis
to mend flicken
to mention erwähnen
message die Nachricht(en)
method die Methode(n)
metre der Meter(-)
microwave der
   Mikrowellenherd(e)
middle die Mitte(n), mitten
million die Million(en)
minute die Minute(n)
to miss verpassen, vermissen,
   versäumen
mistake der Fehler(-)
to moan meckern
modal verb das Modalverb(en)
modern modern

moment der Moment(e)
money das Geld(er)
month der Monat(e)
mood die Laune(n)
moody launisch
moped das Mofa(s)
more mehr
moreover außerdem
morning der Morgen(-)
most meist, am ehesten
mostly meistens
mother die Mutter(¨)
motorbike das Motorrad(¨er)
motorway die Autobahn(en)
mountain der Berg(e)
mountaineer der Bergsteiger(-)
mouth der Mund(¨er)
to **move** ziehen, umziehen
much viel
muesli das Müsli(s)
mum die Mutti(s)
murder der Mord(e)
murderer der Mörder(-)
museum das Museum (Museen)
mushroom der Pilz(e)
my mein
mysterious mysteriös

N

name der Name(n)
nature das Wesen(-), die Natur
near to in der Nähe
neck der Hals(¨e)
to **need** brauchen, benötigen
negative negativ
neighbour der Nachbar(n)
nerve der Nerv(en)
net netto
neuter das Neutrum
never nie, niemals
new neu
newspaper die Zeitung(en)
next nächste/r/s
next to neben
nice nett, sympathisch
night die Nacht(¨e)
at night nachts
nightmare der Alptraum(¨e)
no nein, nee
nobody niemand
noise das Geräusch(e), der Lärm
normal normal
normally normalerweise
north nördlich
nose die Nase(n)
not nicht, kein(e)
not yet noch nicht
note der Schein(e), der Zettel(-), der Geldschein(e), die Notiz(en)
nothing nichts
nothing's happening es ist nichts los
to **notice** merken, bemerken
now nun, jetzt

now and again immer wieder
number die Anzahl, die Nummer(n)
nurse der Krankenpfleger(-)/die Krankenschwester(n)
nursery school der Kindergarten(¨)
nut die Nuß (Nüsse)

O

object der Gegenstand(¨e)
to **observe** beobachten
to **occupy** besetzen
off los
office das Büro(s)
official der Beamte(n)
often oft, öfters
ok alles klar, in Ordnung
old alt
on auf
once einmal
one man
one and a half anderthalb, eineinhalb
onion die Zwiebel(n)
only nur
open offen
to **open** öffnen, aufmachen, eröffnen
opera die Oper(n)
opinion die Meinung(en)
opportunity die Gelegenheit(en), die Chance(n)
opposite gegenüber (von)
optimistic optimistisch
or oder, bzw. (beziehungsweise)
order die Reihenfolge(n)
in **order to** um ... zu
to **organise** organisieren
other(s) andere/r/s
otherwise sonst
our unser
out aus
outside draußen
over über, übrig
to **overtake** überholen
own eigene/r/s
to **own** besitzen
owner der Besitzer(-)

P

packet das Paket(e)
page die Seite(n)
painkiller die Schmerztablette(n)
pains die Schmerzen
to **paint** anmalen, anstreichen
pair das Paar(e)
panic die Panik(en)
paper das Papier(e)
pardon? wie bitte?
parents die Eltern
park der Park(s)
part-time job der Nebenjob(s)
participle das Partizip(ien)

partly teilweise
partner der Partner(-)
party die Party(s)
to **pass** reichen
passenger der Fahrgast(¨e)
passive passiv
passport der Paß (Pässe)
past die Vergangenheit
past vorbei
patient der Patient(en)
pavement der Bürgersteig(e)
to **pay** bezahlen
peace der Frieden(-)
pedestrian der Fußgänger(-)
penfriend der Brieffreund(e)/die Brieffreundin(nen)
pensioner der Rentner(-)
people die Leute, das Volk(¨er)
percent das Prozent(e)
perfect(ly) perfekt
perhaps vielleicht
person die Person(en), der Mensch(en)
personality die Persönlichkeit(en)
personally persönlich
pessimistic pessimistisch
petrol das Benzin
pfennig der Pfennig(e)
phone das Telefon(e)
to **phone** anrufen
photographer der Fotograf(en)
picnic das Picknick(s)
picture das Bild(er)
to **pick** aussuchen
piggy bank das Sparschwein(e)
pile der Haufen(-)
pilot der Pilot(en)/die Pilotin(nen)
pistol die Pistole(n)
pity schade
place der Ort(e), die Stelle(n), der Platz(¨e)
plane das Flugzeug(e)
planet der Planet(en)
plate der Teller(-)
platform das Gleis(e)
to **play** spielen
pleasant angenehm
please bitte
pleasure das Vergnügen(-)
plenty reichlich
pocket money das Taschengeld
poem das Gedicht(e)
point der Punkt(e)
police die Polizei
political politisch
politics die Politik
possibility die Möglichkeit(en)
possible möglich
possibly möglicherweise
post die Post
postcard die Postkarte(n)
potato die Kartoffel(n)
practical praktisch

to practise üben
to pray beten
prefer lieber
prejudice das Vorurteil(e)
to prepare sich vorbereiten
preposition die Präposition(en)
present das Geschenk(e), die Gegenwart
present tense das Präsens
to present vortragen, sich präsentieren
press die Presse
to press drücken
presumably vermutlich, wohl
price der Preis(e)
priceless unbezahlbar
private privat
probably wahrscheinlich
problem das Problem(e)
product die Ware(n)
production die Produktion(en)
programme das Programm(e), die Sendung(en)
promise die Zusage(n)
pronoun das Pronomen(-)
pronunciation die Aussprache(n)
protection der Schutz
psychologist der Psychologe(n)
pub die Kneipe(n)
publican der Wirt(e)
punctual(ly) pünktlich
pupil der Schüler(-)/die Schülerin(nen)
pure rein
purse das Portemonnaie(s), der Geldbeutel(-)
to put stellen, hintun
puzzle das Rätsel(-)

Q

quality die Qualität
queen die Königin(nen)
question die Frage(n)
quick schnell
quiet ruhig
quite ziemlich, ganz
quiz das Quiz(-)

R

to race rasen
radio das Radio(s)
via radio über Funk
railway die Bahn(en)
rain der Regen(-)
to rain regnen
raincoat der Regenmantel(¨)
rarely selten
rat die Ratte(n)
rather eher
to reach erreichen
to react reagieren
to read lesen
realistic(ally) realistisch
really eigentlich, wirklich, echt

reason der Grund(¨e)
receipt der Kassenzettel(-)
recently neulich
recipient der Empfänger(-)
to recognise erkennen
to record aufnehmen
recorder die Flöte(n)
to recycle recyceln
red rot
reflexive verb das Reflexivverb(en)
relationship das Verhältnis(se)
relative(ly) relativ
to remain übrigbleiben
to rent mieten
to repeat nachsprechen
report der Bericht(e)
republik die Republik(en)
rescue die Rettung(en)
to rescue retten
researcher der Forscher(-)
reservoir der Stausee(n)
responsible vernünftig
rest der Rest(e)
restaurant das Restaurant(s)
result das Ergebnis(se)
to return zurückkehren
rhyme der Reim(e)
rice die Reis(e)
rich reich
to ride reiten
right rechts, richtig
to be right recht haben
ring der Ring(e)
to ring klingeln
to risk riskieren
road die Straße(n)
to rob rauben
robber der Räuber(-)
role die Rolle(n)
roll das Brötchen(-)
romantic romantisch
roof das Dach(¨er)
room das Zimmer(-)
rubbish der Blödsinn, der Quatsch, der Unsinn
rucksack der Rucksack(¨e)
ruined verfallen, ruiniert
rule die Regel(n)
to run laufen
to run away ablaufen, weglaufen
to run over überfahren
Russia Rußland

S

sad traurig
safe sicher
sandal die Sandale(n)
satisfied zufrieden
sausage die Wurst(¨e)
to save sparen, einsparen
to say sagen, angeben
scene die Szene(n)
scent der Duft(¨e)

school die Schule(n)
science die Naturwissenschaft(en)
scientist der Naturwissenschaftler(-)
seal die Robbe(n)
search die Suche(n)
seasick seekrank
seat der Sitz(e)/Sitzplatz(¨e)
secret das Geheimnis(se)
secretary der Sekretär(e)
sea das Meer(e)
to see sehen
selection die Auswahl
to sell verkaufen
to send schicken
sensational sensationell
sensitive sensibel, einfühlsam
sentence der Satz(¨e)
separable trennbar
series die Serie(n)
several ein paar, mehrere
to sew nähen
to shave sich rasieren
she sie
ship das Schiff(e)
shirt das Hemd(en)
shoe der Schuh(e)
to shoot schießen, erschießen
shop das Geschäft(e), der Laden(¨)
to shop einkaufen
shopping das Einkaufen
short kurz
should sollen
to shout schreien
to show zeigen
shower die Dusche(n)
shy schüchtern
sight die Sehenswürdigkeit(en)
silence die Stille
silly dumm
silver das Silber
similar ähnlich
since seit
to sing singen
singer der Sänger(-)
single einzig
singular die Einzahl
sister die Schwester(n)
to sit down sich setzen
sitting room das Wohnzimmer(-)
situation die Lage(n), die Situation(en)
size die Größe(n)
ski der Ski(er)
to ski Ski fahren
skilled geschickt
skin die Haut(¨e)
skirt der Rock(¨e)
skull der Schädel(-)
sky der Himmel(-)
to sleep schlafen
slim schlank
small klein

to **smell** riechen
smoke der Rauch
to **smoke** rauchen
snow der Schnee
to **snow** schneien
so also
so-called sogenannt
sock die Socke(n)
softly leise
software die Software(s)
soldier der Soldat(en)
solution die Lösung(en)
to **solve** lösen
some manche/r/s
somebody jemand
somehow irgendwie
something etwas
sometimes gelegentlich, manchmal
somewhere irgendwo
son der Sohn(¨e)
soon bald, gleich
to **sort** sortieren
sound der Ton(¨e)
to **sound** klingen
source die Quelle(n)
to **speak** sprechen
special speziell, besonder/e
to **spend** ausgeben, verbringen
(time)
spider die Spinne(n)
spoon der Löffel(-)
sport die Sportart(en)
sporty sportlich
to **sprain** verstauchen
stable der Stall(¨e)
stadium das Stadion (Stadien)
staff das Personal
stamp die Briefmarke(n)
to **stand** stehen
    to stand up stehenlassen,
aufstehen
state der Staat(en)
statement die Aussage(n)
station der Bahnhof(¨e)
statistic die Statistik(en)
to **stay** wohnen, sich aufhalten
    to stay overnight über-
nachten
to **steal** stehlen
steep steil
to **stick** kleben
still noch, immer noch
stomach der Magen(-)
to **stop** aufhören, halten, aufhalten
stormy stürmisch
strange seltsam
strict streng
striped gestreift
student der Student(en)
studio das Studio(s)
to **study** studieren
stupid doof
success der Erfolg(e)

successful erfolgreich
such solche/r/s
suddenly plötzlich, auf einmal
to **suffer** leiden, erleiden
sugar der Zucker
to **suggest** vorschlagen
suggestion der Vorschlag(¨e)
suit der Anzug(¨e)
suitable geeignet
suitcase der Koffer(-)
summary die
Zusammenfassung(en)
summer der Sommer(-)
summit der Gipfel(-)
sun die Sonne(n)
sunny sonnig
sunshine der Sonnenschein
super super, genial
supermarket der Supermarkt(¨e)
superstition der Aberglauben
superstitious abergläubisch
supper das Abendessen(-)
to **support** sich einsetzen
surface die Oberfläche(n)
to **surprise** überraschen
surrounding umliegend
survey die Umfrage(n)
suspicious verdächtig
to **swallow** schlucken
to **swap** tauschen
sweets die Bonbons
to **swim** schwimmen
Switzerland die Schweiz
symbol das Symbol(e)
symptom das Symptom(e)
system das System(e)

T

T-shirt das T-Shirt(s)
table der Tisch(e)
tablet die Tablette(n)
to **take** nehmen, mitnehmen, führen
    to take care of berücksichti-
gen
    to take place stattfinden
    to take turns sich abwech-
seln
to **talk** reden
tank der Panzer(-)
tape das Tonband(¨er), die
Kassette(n)
task der Auftrag(¨e)
taste der Geschmack(¨en)
tasty lecker
taxi das Taxi(s)
tea der Tee(s)
teacher der Lehrer(-)/die
Lehrerin(nen)
tear die Träne(n)
technical(ly) technisch
teddybear der Teddybär(en)
teenager der Jugendliche(n), der
Teenager
television set der Fernseher(-)

to **tell** erzählen, verraten
tennis game das Tennisspiel(e)
tense verkrampft
tension die Spannung(en)
tent das Zelt(e)
terrace die Terrasse(n)
text der Text(e)
textbook das Schulbuch(¨er)
that daß, das
the der, die, das
theatre das Theater(-)
then dann, damals
there dort, da
there is es gibt
therefore darum, deshalb,
deswegen
thick dicht
thief der Dieb(e)
thing das Ding(e), die Sache(n)
to **think** denken, meinen
this diese/r/s
thriller der Krimi(s)
through durch
to **throw away** wegwerfen
to **throw out** rausschmeißen
thumb der Daumen(-)
ticket counter der
Fahrkartenschalter(-)
to **tidy up** aufräumen
tie der Schlips(e), die Krawatte(n)
time das Mal(e), die Zeit(en)
timetable der Fahrplan(¨e)
tip das Trinkgeld(er), der
Hinweis(e)
tired müde
to nach, zu
too zu, auch
today heute
together zusammen, gemeinsam
tomorrow morgen
tooth der Zahn(¨e)
topic das Thema (Themen)
totally total
tourist der Tourist(en)
tourist office das
Verkehrsamt(¨er)
tower der Turm(¨e)
town die Stadt(¨e)
tracksuit der Jogginganzug(¨e)
traffic lights die Ampel(n)
train der Zug(¨e)
trainer der Trainer(-)
tram die Straßenbahn(en)
to **translate** übersetzen
to **travel** reisen
treasure der Schatz(¨e)
treasure hunt die
Schatzsuche(n)
treatment die Behandlung
tree der Baum(¨e)
trip die Reise(n)
trouble der Ärger, der Zoff
trousers die Hose(n)
true wahr

truth die Wahrheit
to **try** probieren, versuchen
    to try on anprobieren
tunnel der Tunnel(-)
type die Art(en)
typical(ly) typisch

U

ugly häßlich
umbrella der Regenschirm(e)
unbelievable unglaublich
uncle der Onkel(-)
undamaged unbeschädigt
under unter, unten
underground die U-Bahn(en)
underpants die Unterhose(n)
to **understand** verstehen
underwear die Unterwäsche
unemployment die Arbeitslosigkeit
unfair ungerecht
unfaithful untreu
unforgettable unvergeßlich
unfortunately leider
unfriendly unfreundlich
uniform die Uniform(en)
unit die Einheit(en)
university die Universität(en)
unknown unbekannt
to **unpack** auspacken
unsure unsicher
until bis
    until now bisher
unusual ausgefallen, ungewöhnlich
up-bringing die Erziehung
uphill bergauf
upstairs nach oben
to **use** benutzen, verbrauchen
useless nutzlos
usually gewöhnlich

V

valuable thing die Wertsache(n)
various unterschiedlich
vegetables das Gemüse(-)
vegetarian der Vegetarier(-)
verb das Verb(en)
version die Fassung(en), die Version(en)
very sehr
vice versa umgekehrt
video das Video(s)
village das Dorf(¨er)
virus das Virus (Viren)
visit der Besuch(e)
to **visit** besuchen, zu Besuch sein

W

to **wait** warten
    waiting room der Wartesaal (-säle)
    waitress die Kellnerin(nen)
to **wake up** wecken

walk die Wanderung(en), der Spaziergang(¨e)
to **walk** wandern, spazierengehen
wall die Mauer(n), die Wand(¨e)
to **want** wollen
war der Krieg(e)
wardrobe der Kleiderschrank(¨e)
warm warm
to **wash** waschen
to **wash up** abspülen
washing machine die Waschmaschine(n)
wasteful verschwenderisch
to **watch out** aufpassen
    watch out! Achtung!
    to watch television fernsehen
water das Wasser(-)
way die Weise(n), der Weg(e)
we wir
to **wear** tragen
weather das Wetter(-)
week die Woche(n)
weekend das Wochenende(n)
welcome herzlich willkommen
well na ja
what was
when wann, wenn
where wo
whether ob
which welche/r/s
while die Weile
white weiß
who wer
why warum, wofür
wide breit
widow die Witwe(n)
wild wild
to **win** gewinnen
wind der Wind(e)
window das Fenster(-)
winter der Winter
wish der Wunsch(¨e)
to **wish** wünschen
witch die Hexe(n)
with mit
to **withdraw** abheben, zurückziehen
within innerhalb
without ohne
woman die Frau(en)
wonderful wunderbar
wood das Holz(¨er)
wool die Wolle, die Baumwolle
word das Wort(¨er)
to **work** arbeiten, funktionieren
world die Welt(en)
world war der Weltkrieg(e)
worried verängstigt
to **worry** beunruhigen, sich Sorgen machen
wrist das Handgelenk(e)
to **write** schreiben
wrong falsch

Y

year das Jahr(e)
yes ja
yesterday gestern
you du, ihr, Sie
young jung
your dein, euer, Ihr
yourself selber, selbst
youth club der Jugendklub(s)
youth hostel die Jugendherberge(n)
youth work die Jugendarbeit

Z

zone die Zone(n)
zoo der Zoo(s)

Glossar

Ändere (die Details).	Change the details.
Beantworte folgende Fragen.	Answer the following questions.
Befrag deine Mitschüler/innen.	Ask your classmates.
Benutz die Buchstaben/Hinweise/Notizen oben/unten.	Use the letters/instructions/notes above/underneath.
Beschreib … schriftlich.	Describe … in writing.
Bild Sätze/Paare.	Make sentences/pairs.
Bitte um …	Ask for …
Buchstabiere …	Spell …
Deck … mit … ab.	Cover … with …
Der/die andere Partner/in stellt Fragen.	The other partner asks questions.
Du hörst jetzt (zehn) Dialoge.	You will now hear (ten) dialogues.
Du stellst Fragen.	You ask questions.
Ein/e Partner/in macht das Buch zu.	One partner shuts the book.
Eine/Einer von euch spielt …	One of you plays …
Entscheid.	Decide.
Entscheid, was zusammenpaßt.	Decide what goes together.
Erfind (neue Dialoge).	Invent (new dialogues).
Errate.	Guess.
Fang mit … an.	Start with …
Find Ausdrücke im Text, die zu … passen.	Find expressions in the text which match up with …
Folge den Spuren.	Follow the clues.
Füg (noch andere) hinzu.	Add (others).
Führe … auf.	Perform …
Füll die Lücken (mit Reimen) aus.	Fill the gaps (with rhymes).
Hast du richtig geraten/gemacht?	Have you guessed/done … correctly?
Hast/hattest du recht?	Are/were you right?
Hier sind einige Vorschläge.	Here are a few suggestions.
Hör dir … an.	Listen to …
Hör (noch mal) gut zu.	Listen (again).
In welcher Reihenfolge … ?	In what order … ?
Kann dein/e Freund/in sagen, was stimmt?	Can your friend say what is right?
Kannst du den Fehler finden?	Can you find the mistake?
Kannst du dich erinnern, wer das ist?	Can you remember who it is?
Kannst du … aufschreiben/zeichnen?	Can you write/draw … ?
Kannst du/könnt ihr die Sätze richtig zusammenstellen?	Can you join the sentences together correctly?
Kannst du/könnt ihr … finden/sagen?	Can you find/say … ?
Kleb … (getrennt) an die Wand.	Stick … on the wall (separately).
Korrigiere die falschen Sätze/die Sätze, die nicht stimmen.	Correct the false sentences/the sentences which are wrong.
Lies deine Notizen/die Fotogeschichte/die Texte.	Read your notes/the photo story/the texts.
Lies/lest … vor.	Read out …
Mach das Buch zu.	Close your book.
Mach(t) ein Interview/ein Quiz/eine Umfrage/ eine Klassendebatte/eine Collage/eine Präsentation/ ein Ratespiel.	Do an interview/a quiz/a survey/a class debate/ a collage/a presentation/a guessing game.
Mach entweder Übung 1 oder Übung 2.	Do either Exercise 1 or Exercise 2.
Mach(t) Notizen/eine Liste/zwei Listen.	Make notes/a list/two lists.
Nimm … auf Kassette (oder auf Videokassette) auf.	Record … on cassette (or on video).
Notiere dir die Buchstaben.	Note down the letters.
Ordne deinen Wortschatz.	Organise your vocabulary list.
Rate (mal).	Guess.
Rechne … aus/zusammen.	Work out/add up …
Richtig oder falsch?	True or false?
Sag … (deinem Partner/deiner Partnerin).	Say … (to your partner).

Schlag ... (im Wörterbuch) nach.

Schlag ... vor.

Schreib eine korrigierte Fassung/
(kurze) Zusammenfassung/Kurzfassung.

Schreib einen Steckbrief/einen Artikel/ein Interview.

Schreib einen Satz/einen Aufsatz.

Schreib jeweils ... (auf).

Schreib und schick einen Brief an ...

Schreib ... auf einen Zettel.

Schreib die ... auf, die zusammenpassen.

Schreib ... in der richtigen Reihenfolge auf.

Schreib ... in die richtige Spalte/in die Tabelle.

Schreib sie fertig.

Sieh dir ... an.

Siehe Seite 60.

Spiel die Rolle von ...

Spiel ... vor.

Stell die Satzteile zusammen.

Stell folgende Fragen.

Stell ... vor.

Tausch(t) die Rollen.

Trag die Ergebnisse in ein Blockdiagramm ein.

Trag ... (in die richtige Spalte) ein.

Trag die Tabelle in dein Heft ein.

Übe den Dialog.

Verbessere die Fehler.

Vergiß ... nicht.

Vergleich ...

Vervollständige ... mit ...

Wähl ein Bild ...

Wähl eine Sprechblase.

Was haben ... gemeinsam?

Was ist richtig?

Was paßt zusammen?

Welchen/welche/welches ... findest du am besten?

Welcher/welche/welches ... ist nicht dabei?

Welcher/welche/welches ... wird hier beschrieben?

Welche Gruppe schafft die längste Liste?

Wenn du Hilfe brauchst ...

Wer hat eine positive/negative Meinung?

Wer hat am meisten mit ... gemeinsam?

Wer ist am ehrlichsten?

Wer macht es schneller?

Wer macht was?

Wer meint was?

Wer weniger Punkte hat, gewinnt!

Wer/was bleibt übrig?

Wie ist die richtige Reihenfolge?

Wie schnell kannst du/könnt ihr ... sagen/erraten?

Wie viele Dialoge kannst du in zwei Minuten erfinden?

Wie viele ... kannst du finden?

Wiederhole ...

Wieviel kannst du über ... sagen?

Zeichne und beschrifte ...

Look up ... (in the dictionary).

Suggest ...

Write a corrected summary/(short) summary.

Write a dossier/an article/an interview.

Write a sentence/an essay.

Write ... down (each time).

Write and send a letter to ...

Write ... on a piece of paper.

Write down the ... which go together.

Write down ... in the right order.

Write ... in the right column/in the table.

Write them up.

Look at ...

See page 60.

Play the role of ...

Act out ...

Put the parts of the sentence together.

Ask the following questions.

Introduce ...

Change roles.

Copy the results on to a bar chart.

Copy ... (into the right column).

Copy the table into your exercise book.

Practise the dialogue.

Correct the mistakes.

Do not forget ...

Compare ...

Complete ... with ...

Pick a picture ...

Pick a speech bubble.

What have ... got in common?

What is correct?

What goes together?

Which ... do you think is best?

Which is not there?

Which ... is being described here?

Which group can make the longest list?

If you need help ...

Who has a positive/negative opinion?

Who has the most in common with ... ?

Who is the most honest?

Who does it more quickly?

Who is doing what?

Who thinks what?

Whoever has fewer points wins!

Who/what is left over?

What is the right order?

How quickly can you say/guess ...

How many dialogues can you make in two minutes?

How many ... can you find?

Repeat ...

How much can you say about ... ?

Draw and label ...